ある日《ひ》……
秘密基地《ひみつきち》の
ナビモニターが……
謎《なぞ》のハッカー・X《エックス》に
乗《の》っ取《と》られて
しまった！
そればかりか……
〝日本《にっぽん》の歴史《れきし》の神様《かみさま》〟が
ナビモニターの中《なか》に
閉《と》じ込《こ》められ……
このままでは……
世界《せかい》の歴史《れきし》にも
深刻《しんこく》な影響《えいきょう》を
およぼす可能性《かのうせい》が
あるという!!
それを聞《き》かされた
オレ達《たち》、
少年探偵団《しょうねんたんていだん》は……

JN138300

時間冒険者《タイムドリフター》達とともに
X《エックス》からの挑戦《ちょうせん》に応《おう》じ…
歴史《れきし》に隠《かく》された
謎《なぞ》に挑《いど》む!!
タイムドリフターの
冒険《ぼうけん》アイテムは、
オレ達《たち》と通信《つうしん》できる
スマート端末《たんまつ》
「スマタン」と…
タイムドリフター
どうしで通信《つうしん》可能《かのう》な
「DB《ディービー》バッジ」だ!
DETECTIVE BOYS

X《エックス》の正体《しょうたい》は？
そして目的《もくてき》は？
今回《こんかい》のタイムドリフトは、
これまでと何《なに》かが違《ちが》う！
ハッキングされたナビモニターをX《エックス》から取《と》り戻《もど》し、
世界《せかい》の歴史《れきし》を守《まも》ることができるのか!?

ようこそ時間冒険《タイムドリフト》の世界《せかい》へ！

名探偵江戸川《めいたんていえどがわ》コナンと少年探偵団《しょうねんたんていだん》は、
過去《かこ》に飛《と》ばされた子《こ》ども達《たち》
タイムドリフターと協力《きょうりょく》し、
日本《にっぽん》の歴史《れきし》、そして世界《せかい》の歴史上《れきしじょう》の
数《かず》かずの難事件《なんじけん》を解決《かいけつ》してきた!!
今回《こんかい》はどんな冒険《ぼうけん》が待《ま》ち受《う》けているのか…。
コナンといっしょに歴史《れきし》の旅《たび》に出発《しゅっぱつ》しよう！

過《か》去《こ》へと飛《と》ばされた13人《にん》の少年少女達《しょうねんしょうじょたち》、タイムドリフター。

偶然発見《ぐうぜんはっけん》した〝ナビルーム〟で彼《かれ》らと出会《であ》ったコナンと少年探偵団《しょうねんたんていだん》は、タイムドリフターが現代《げんだい》に戻《もど》るために必要《ひつよう》な〝時《とき》のイシ〟集《あつ》めを手伝《てつだ》うことに。強敵《きょうてき》、怪盗《かいとう》ウルフと対決《たいけつ》しながらも、日本《にっぽん》の歴史《れきし》の謎《なぞ》や事件《じけん》を解決《かいけつ》し、12の時代《じだい》に散《ち》らばった〝時《とき》のイシ〟をぶじに集《あつ》めることができた。

安《あん》心《しん》したのも束《つか》の間《ま》、今《こん》度《ど》は封印《ふういん》を解《と》かれた〝歴《れき》史《し》の悪魔《あくま》〟が暴走《ぼうそう》を始《はじ》める。日本《にっぽん》の歴史《れきし》を守《まも》るため、タイムドリフターは再《ふたた》び日本《にっぽん》の歴《れき》史《し》を時間冒険《タイムドリフト》する。6個《こ》の〝時《とき》の紋章《もんしょう》〟を探《さが》し出《だ》し、タイムドリフターとコナン、少年探偵団《しょうねんたんていだん》は力《ちから》を合《あ》わせて〝歴史《れきし》の悪魔《あくま》〟を再《ふたた》び封印《ふういん》することに成功《せいこう》したのだった。

コナン達《たち》を待《ま》ち受《う》ける時間冒険《タイムドリフト》はまだまだ続《つづ》く。新《あら》たな謎《なぞ》と事件《じけん》は、歴史《れきし》と歴史《れきし》の間《あいだ》に埋《う》もれていた。タイムドリフターは時代《じだい》を飛《と》び回《まわ》り、事態《じたい》を解決《かいけつ》に導《みちび》いたのだった。

さらに〝チエの実《み》〟を調《ちょう》査《さ》していた阿笠博士《あがさはかせ》が突如《とつじょ》姿《すがた》を消《け》してしまう。タイムドリフターは12の時代《じだい》で阿《あ》笠博士《がさはかせ》の捜索《そうさく》にあたった。そこに立《た》ちはだかったのは、世《せ》界《かい》の歴史《れきし》の謎《なぞ》、事件《じけん》、そして新《あら》たな強敵《きょうてき》、猫盗賊《キャットシーフ》キャラットだった。

しかし何《なん》とか〝真実《しんじつ》のチエの実《み》〟を手《て》に入《い》れたタイムドリフターのおかげで、博士《はかせ》は、ぶじナビルームに戻《もど》ってきたのだった。

そしていま、新《あら》たな時間冒険《タイムドリフト》が始《はじ》まろうとしている…。

CONAN HISTORY COMIC SERIES

世界史《せかいし》探偵《たんてい》コナン シーズン2 II 5 知《ち》と歴史《れきし》

人物《じんぶつ》＆アイテム紹介《しょうかい》

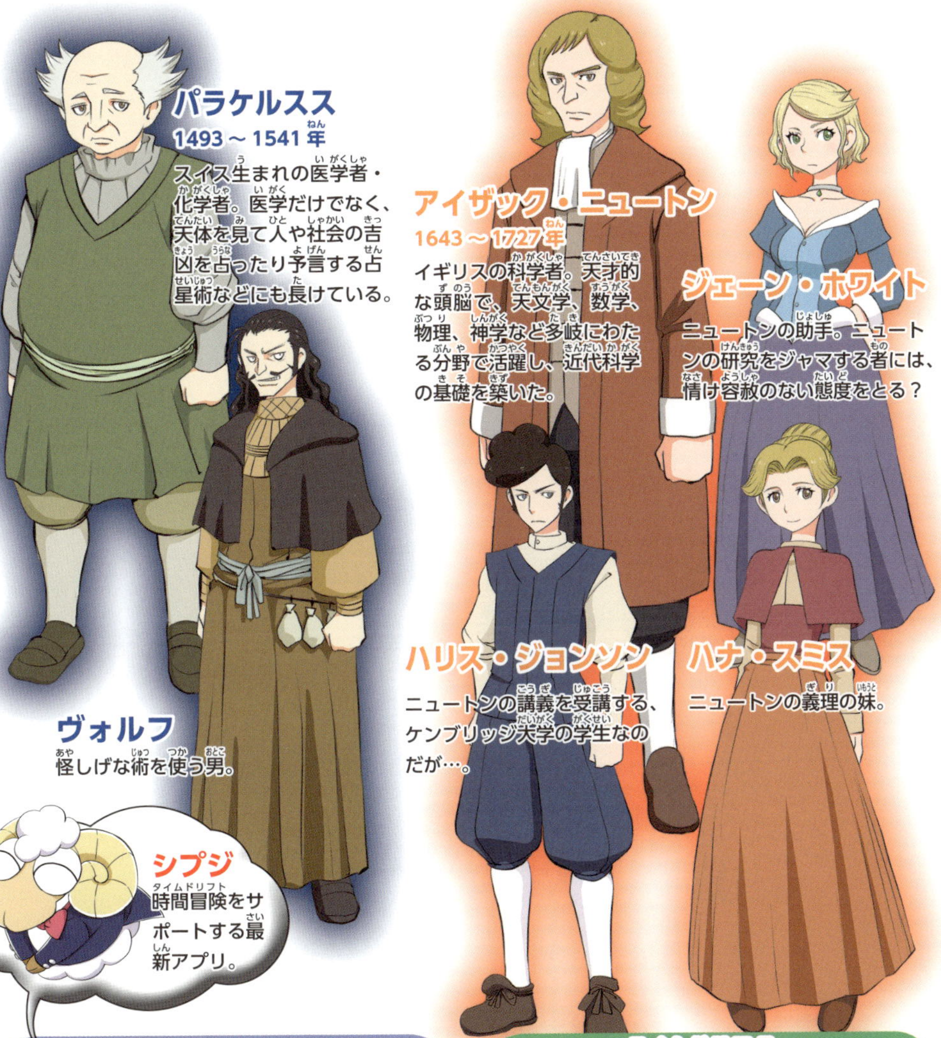

パラケルスス

1493～1541年《ねん》

スイス生《う》まれの医学者《いがくしゃ》・化学者《かがくしゃ》。医学《いがく》だけでなく、天体《てんたい》を見《み》て人《ひと》や社会《しゃかい》の吉凶《きっきょう》を占《うらな》ったり予言《よげん》する占星術《せんせいじゅつ》などにも長《た》けている。

ヴォルフ

怪《あや》しげな術《じゅつ》を使《つか》う男《おとこ》。

アイザック・ニュートン

1643～1727年《ねん》

イギリスの科学者《かがくしゃ》。天才的《てんさいてき》な頭脳《ずのう》で、天文学《てんもんがく》、数学《すうがく》、物理《ぶつり》、神学《しんがく》など多岐《たき》にわたる分野《ぶんや》で活躍《かつやく》し、近代科学《きんだいかがく》の基礎《きそ》を築《きず》いた。

ジェーン・ホワイト

ニュートンの助手《じょしゅ》。ニュートンの研究《けんきゅう》をジャマする者《もの》には、情《なさ》け容赦《ようしゃ》のない態度《たいど》をとる？

ハリス・ジョンソン

ニュートンの講義《こうぎ》を受講《じゅこう》する、ケンブリッジ大学《だいがく》の学生《がくせい》なのだが…。

ハナ・スミス

ニュートンの義理《ぎり》の妹《いもうと》。

シプジ

時間冒険《タイムドリフト》をサポートする最新《さいしん》アプリ。

時間冒険者《タイムドリフター》のアイテム

DB《ディービー》バッジ

トランシーバー機能《きのう》のついた探偵《たんてい》バッジ。同《おな》じ時代《じだい》の中《なか》でだけ通話可能《つうわかのう》。

スマタン

現代《げんだい》と過去《かこ》の時《とき》を超《こ》えて通話《つうわ》ができるスマホ型《がた》の通信端末《つうしんたんまつ》。

時間冒険者《タイムドリフター》

水《みず》と油《あぶら》の2人組《りぐみ》

航《わたる》

華帆《かほ》

行動力抜群《こうどうりょくばつぐん》の少年《しょうねん》・航《わたる》と、冷静沈着《れいせいちんちゃく》なお嬢《じょう》さま・華帆《かほ》。今回《こんかい》は、禁断《きんだん》の科学《かがく》の謎《なぞ》を解《と》き明《あ》かす!?

世界史探偵《せかいしたんてい》コナン・シーズンⅡ《ツー》

5 [知《ち》と歴史《れきし》] 正義《せいぎ》と欲望《よくぼう》の科学者《マジシャン》

もくじ

[コナンの推理《すいり》NOTE《ノート》]

CONAN HISTORY COMIC SERIES

世界史《せかいし》探偵《たんてい》

コナン シーズン2 II

DETECTIVE CONAN

5 知《ち》と歴《れき》史《し》

正義《せいぎ》と欲望《よくぼう》の科学者《マジシャン》

原作《げんさく》／青山剛昌《あおやまごうしょう》

まんが／金井正幸《かないまさゆき》・海童博行《かいどうひろゆき》

FILE. 1
元太《げんた》、秘密《ひみつ》の実験《じっけん》
1・B
…それにしても…
ナビモニターを
ハッキングした
X《エックス》の正体《しょうたい》は
いったい…

博士《はかせ》…このハッキングに、黒ずくめの組織《ヤツら》がからんでるなんてことは…
ま、まあ落《お》ちつけ…
これが落《お》ちついていられるかよ!
ハッカーの手《て》がかりは全然《ぜんぜん》つかめてないんだろ!? やっぱりヤツらが…
いや…
これはキミの…
彼《かれ》らじゃないと思《おも》うわよ…

そうだとしたら私達《わたしたち》…もう…この世《よ》からいなくなってるんじゃない?
…ナン君《くん》!!
聞《き》いてるんですか?コナン君《くん》!!
え?
元太君《げんたくん》のことよ!
最近《さいきん》…放課後《ほうかご》の様子《ようす》が怪《あや》し過《す》ぎると思《おも》いませんか?
別《べつ》に放課後《ほうかご》に何《なに》しようと、元太《げんた》の勝手《かって》じゃねぇか…

でも…月曜日《げつようび》からずっと変《へん》なんですよ！
そわ そわ
元《げん》太《た》君《くん》のこと、心配《しんぱい》じゃないの？
たしかにいつもと様子《ようす》が違《ちが》ってたし…調《しら》べてみてもいいんじゃない？
はは…分《わ》かったよ…

公園《こうえん》に入《はい》っていきますね…
花壇《かだん》のほうにいくわ！

キョロ
キョロ
ガサッ
何《なに》か隠《かく》してたのかしら？
怪《あや》しいですね……
……
がっかり
はぁ〜〜〜……
元太《げんた》くーーん!!
びくっ

…何《なん》だ、お前《まえ》らかよ…
いったい何《なに》をしてるんですか？
その缶《かん》には、何《なに》が入《はい》ってるの？
ん？これはだな…
キョロ キョロ
金《きん》の材料《ざいりょう》なんだ!!

ええ！
金《きん》!?
し――――!!
大声《おおごえ》出《だ》すなよ！
石《いし》とさびた釘《くぎ》が…
金《きん》になるとは、思《おも》えないけど…
知《し》らねぇのか？石《いし》と金属《きんぞく》を混《ま》ぜると金《きん》がつくれるんだってよ！
ええ――、そうなの!?
みんなで、これで金《きん》をつくろうぜ！
なあ、元太《げんた》…

その話《はなし》の
ソースは何《なん》だ？
ソースぅ？
食《く》いもんの話《はなし》なんて
してねぇぞ？
何《なに》言《い》ってんだ、
コナン…
そうじゃ
なくて…
情報源《じょうほうげん》のことよ…
どこで仕《し》入《い》れたの？
石《いし》と金属《きんぞく》で
金《きん》をつくれるなんて…
どこって…
先週《せんしゅう》、父《とう》ちゃんと
見《み》にいった
映画《えいが》だけど…
あ！
公開《こうかい》に
なったばかりの
映画《えいが》よね！

あ〜〜〜…
あの映画《えいが》か…
何《なん》だよ、
文句《もんく》あっか？
いいや…
ただ現実《げんじつ》には、
石《いし》と金属《きんぞく》を
金《きん》に変《か》えるのは
不可能《ふかのう》だぜ！
あの映画《えいが》は
ウソだって
いうのか!?
まあ…
金《きん》をつくる魔術《まじゅつ》は
歴史《れきし》の中《なか》に
何度《なんど》も出《で》てくるけど…
え——!?
そうなの!?
じゃあ、それで
金《きん》をつくって
大《おお》もうけだ！
そしたらボク達《たち》、
大金《おおがね》持《も》ちですよ!!
おいおい…
みんな…
錬金術《れんきんじゅつ》って
聞《き》いたことない？

レンキンジュツ
???
レンジでチンの術《じゅつ》？
おいおい…
ギク
錬金術《れんきんじゅつ》に、それを扱《あつか》う錬金術《れんきんじゅつ》師《し》…歴史《れきし》上《じょう》、何人《なんにん》もあらわれたけど、だれも金《きん》をつくれなかった…
まあ、魔法《まほう》を使《つか》ったとしてもムリだけどな…
えぇ――――!?
がっくり

錬金術《れんきんじゅつ》は〝魔術《まじゅつ》〟のひとつと思《おも》われていた時代《じだい》もあったようだけど…
その実態《じったい》は化学反応《かがくはんのう》にすぎない…
でも、それが現代《いま》の医学《いがく》や化学《かがく》の発展《はってん》につながっているのよ…
ふ～ん…
何《なん》か難《むずか》しい話《はなし》だな…
風邪薬《かぜぐすり》や消毒液《しょうどくえき》、金属《きんぞく》を加工《かこう》するための薬品《やくひん》なんかも、錬金術師《れんきんじゅつし》が金《きん》をつくろうと試《こころ》みた過程《かてい》でできたっていわれてるんだ！
医学《いがく》に化学《かがく》…ボク達《たち》の生活《せいかつ》も錬金術《れんきんじゅつ》のおかげってことですね！
錬金術《れんきんじゅつ》ってすごいんだね！
あ!? 博士《はかせ》から連絡《れんらく》がきたぞ！

ダッ
ダダッ
博士《はかせ》!!
X《エックス》からの挑戦状《ちょうせんじょう》が届《とど》いたんですね！
みんな！そ、それが…
ヴヴ
ふっふっふっ…
!!
この声《こえ》は!!

ドンッ
そろったようだな…
X《エックス》のヤツ…どうして、このタイミングで通信《つうしん》を…？
前回《ぜんかい》、ウルフが姿《すがた》をあらわしたことと何《なに》か関係《かんけい》あるのか!?
いつまで勝負《しょうぶ》を続《つづ》けるつもりだよ！
勝負《しょうぶ》はボク達《たち》が勝《か》ってますよ!!
そうよ、そうよ！

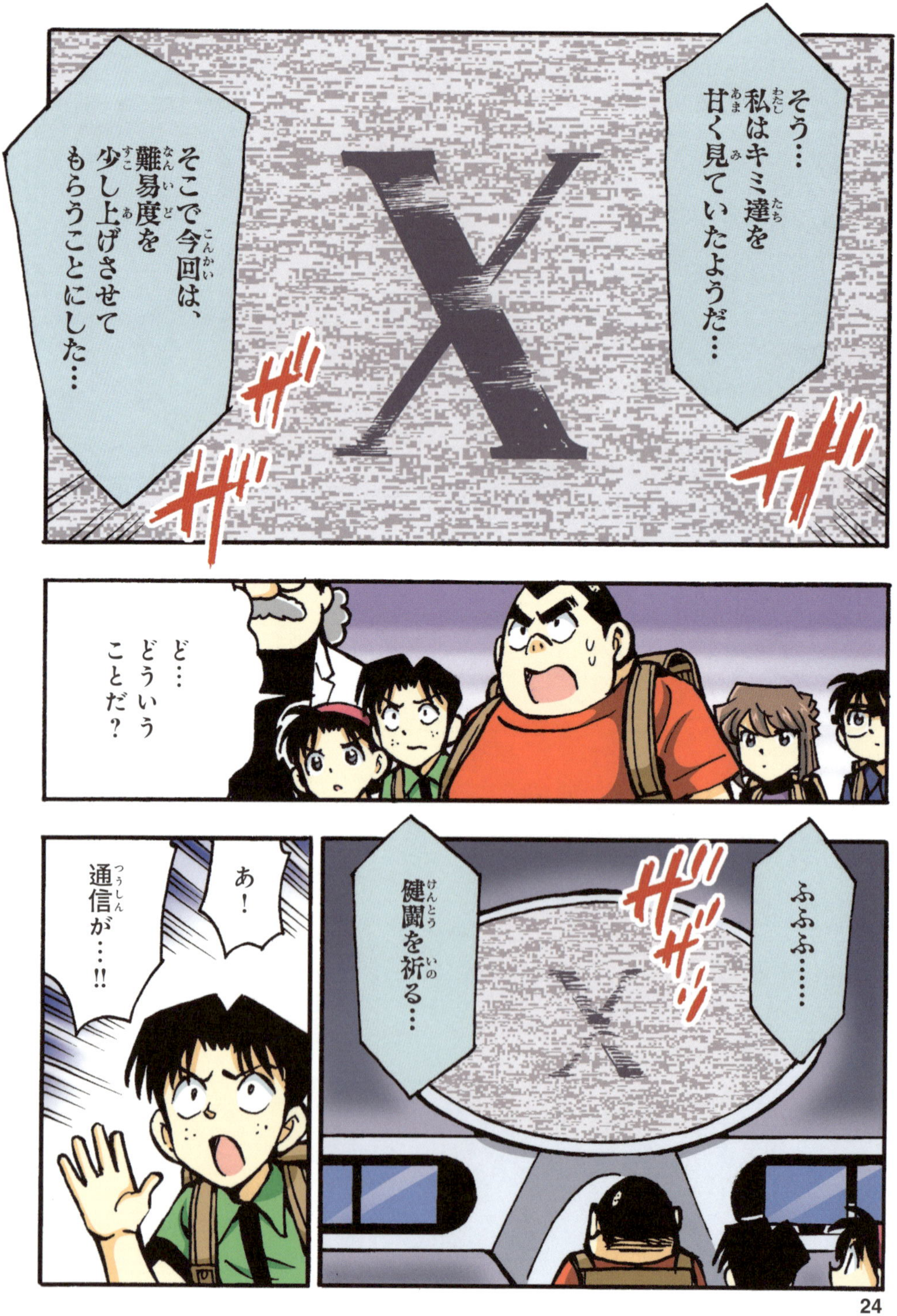
そう…私《わたし》はキミ達《たち》を甘《あま》く見《み》ていたようだ…
そこで今回《こんかい》は、難易度《なんいど》を少《すこ》し上《あ》げさせてもらうことにした…
ザ
ザ
ザ
ど…どういうことだ？
ふふふ……
ザザッ
健闘《けんとう》を祈《いの》る…
あ！
通信《つうしん》が…!!

さては…
アイツ、オレ達《たち》にビビってるな？
謎《なぞ》がすごく難《むずか》しくなっちゃうのかな？
ボク達《たち》が力《ちから》を合《あ》わせれば、きっとだいじょうぶです！
みんな、見《み》て…
キ゚ュン
!!!
今回《こんかい》のタイムドリフトが始《はじ》まったみたいよ…
難易度《なんいど》を上《あ》げるっていうのはいったい…

今回《こんかい》のテーマは、「魔術《まじゅつ》」と「科学《かがく》」の歴史《れきし》だよ!!
WORLD ATLAS
WORLD ATLAS
宇宙《うちゅう》の謎《なぞ》
この世界《せかい》は、謎《なぞ》に満《み》ちあふれている!!
人体《じんたい》の神秘《しんぴ》
知《し》りたい、欲《ほ》しいという欲望《よくぼう》が、人類《じんるい》が発展《はってん》する原動力《げんどうりょく》になった!
世界《せかい》の謎《なぞ》を解《と》き明《あ》かし、黄金《おうごん》と永遠《えいえん》の命《いのち》を手《て》に入《い》れろ!!
黄金《おうごん》や永遠《えいえん》の命《いのち》に対《たい》する欲望《よくぼう》が、錬金術《れんきんじゅつ》や錬丹術《れんたんじゅつ》を生《う》んだ!
錬金術《れんきんじゅつ》
錬丹術《れんたんじゅつ》

科学《かがく》は魔術《まじゅつ》から生《う》まれた!?
科学《かがく》の発展《はってん》の裏側《うらがわ》には、錬金術《れんきんじゅつ》の長《なが》い研究《けんきゅう》の歴史《れきし》があったんだ!!
ケプラー
ニュートン
「惑星運動《わくせいうんどう》の３法則《ほうそく》」を発見《はっけん》したケプラーは占星術師《せんせいじゅつし》だった!!
「万有引力《ばんゆういんりょく》の法則《ほうそく》」を発見《はっけん》したニュートンは錬金術師《れんきんじゅつし》だった!!
世界《せかい》の真実《しんじつ》は、この石《いし》の中《なか》にあり!?
人《ひと》びとをとりこにしたこの石《いし》の正体《しょうたい》とは…
さあ、「魔術《まじゅつ》」と「科学《かがく》」の歴史《れきし》から、世界《せかい》の真実《しんじつ》に迫《せま》る時間冒険《タイムドリフト》に出発《しゅっぱつ》だ!!

ピュン
FILE. 2
ニュートンの研究《けんきゅう》
ザッ
ゴッ
あいたっ!!

!!
わわわ！
ザァァァ
ガッ
もう… 何《なに》をやってるんですの？
ワリィ、ワリィ… ふー、危《あぶ》ね～…
御《み》堂《どう》君《くん》、ちゃんと、手《て》を洗《あら》ってますの？
何《なん》だかベタベタしますわ…
タイムドリフター
東雲《しののめ》華《か》帆《ほ》
失礼《しつれい》なこと言《い》ってんじゃねぇよ！
2日《か》に1回《かい》は洗《あら》ってるっての！
タイムドリフター
御《み》堂《どう》航《わたる》

フッ…!!?
ていうか、また タイムドリフト しちゃった みたいだな…
えーっと…
〝歴史《れきし》は ? す〟か…
歴史《れきし》は
?
す
ENTER
この謎《なぞ》を解《と》くための 手《て》がかりを探《さが》せば いいんだな、コナン！
!!
うん、 航《わたる》さん、華帆《かほ》さん よろしくね！
あら？ 砂時計《すなどけい》が２つ…？
前回《ぜんかい》はたしか３つ あったと思《おも》いますが…
歴史は
?
す！
ENTER

X《エックス》のしわざだ…謎《なぞ》の難易度《なんいど》を上《あ》げるって言《い》っていたから…
つまり、解答《かいとう》のチャンスはたったの２回《かい》!?
前回《ぜんかい》よりも慎重《しんちょう》に、答《こた》えを探《さが》しませんと…
まあ、何《なん》とかなるだろ!
それより…ここがどこか調《しら》べようぜ!!
もう!! 能天気《のうてんき》なんですから…
わっ、ウンコ踏《ふ》んだ!!
……
……
う～む…まずはウンコ犯《はん》を調《しら》べなくては…
ターン
ターン
…アヒルだと思《おも》いますわ…

うわ――…
パキッ
すげー立派《りっぱ》な建物《たてもの》だな…
ゴン
あいでっ!!
御堂君《みどうくん》、だいじょうぶですの!?
いてて…
ったく何《なん》だよ…
…あれ？
!?

これって…まさか〝チエの実《み》〟…!?
えっ!? ほんとうですの? でも…どうして…
う～む…
あ…… ただのリンゴです…
グッ
もうっ!!
紛《まぎ》らわしいですわね!!
ちょうどお腹《なか》減《へ》ってたんだ!
んがー
いただきまーす!
こらぁー!!
!!
わっ!
かかか、勝手《かって》に食《た》べようとしてごめんなさい!
え?

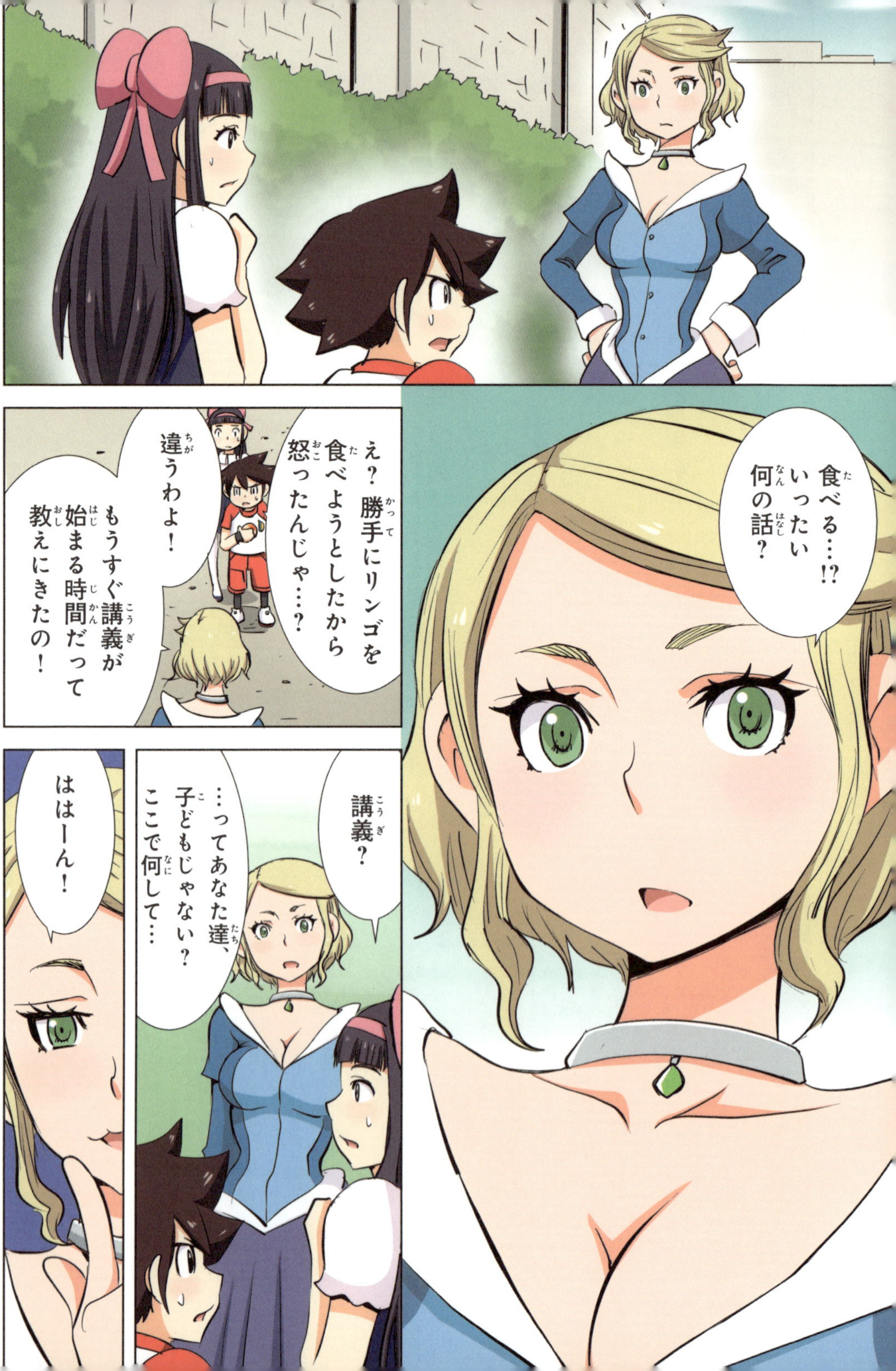
食《た》べる…!? いったい何《なん》の話《はなし》?
え? 勝手《かって》にリンゴを食《た》べようとしたから怒《おこ》ったんじゃ…?
違《ちが》うわよ! もうすぐ講義《こうぎ》が始《はじ》まる時間《じかん》だって教《おし》えにきたの!
講義《こうぎ》?
…ってあなた達《たち》、子《こ》どもじゃない? ここで何《なに》して…
ははーん!

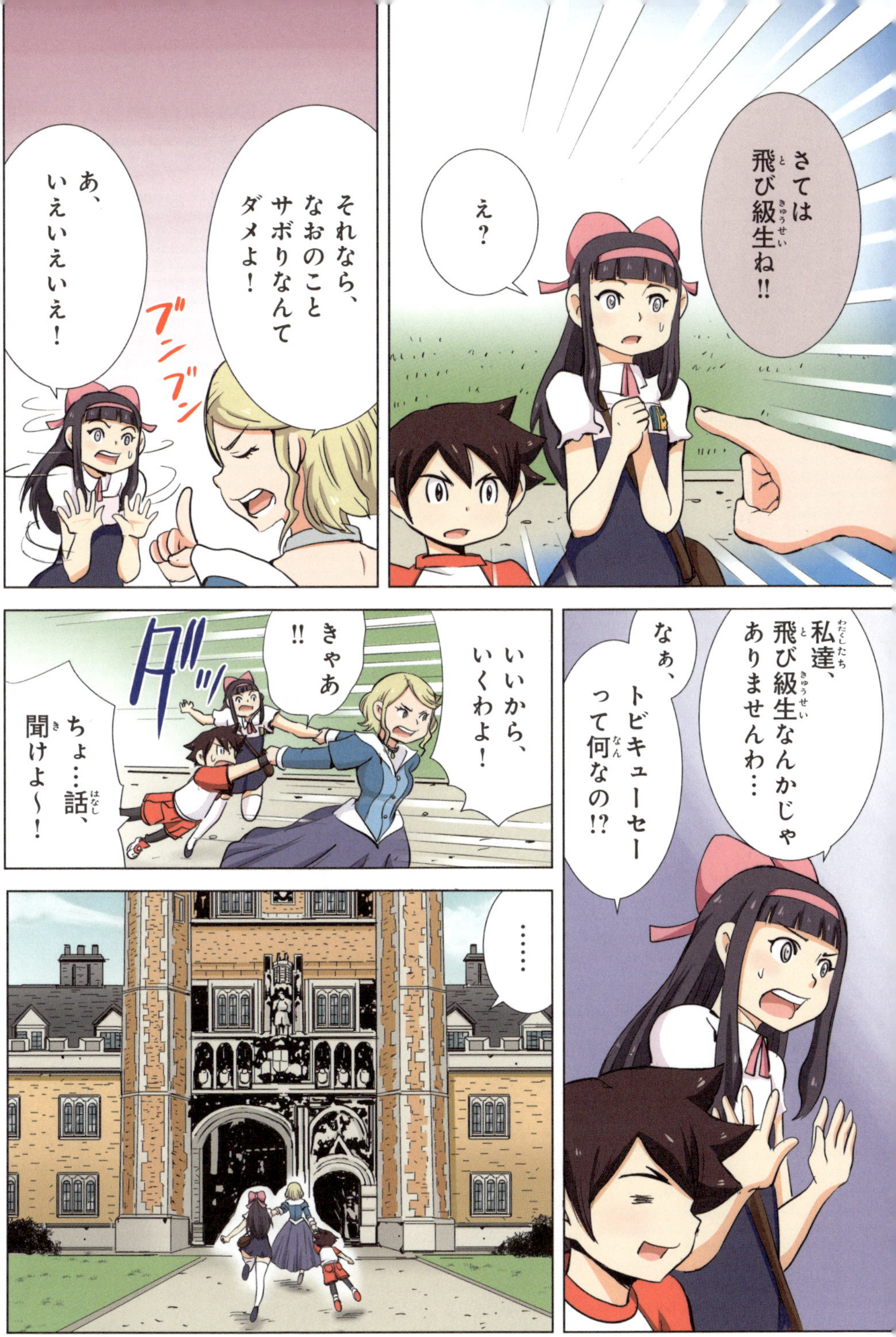
さては飛《と》び級生《きゅうせい》ね!!
え?
それなら、なおのことサボりなんてダメよ!
ブンブン
あ、いえいいえいえ!
私達《わたくしたち》、飛《と》び級生《きゅうせい》なんかじゃありませんわ…
なぁ、トビキューセーって何《なん》なの!?
いいから、いくわよ!
きゃあ!!
ダッ
ちょ…話《はなし》、聞《き》けよ~!
……

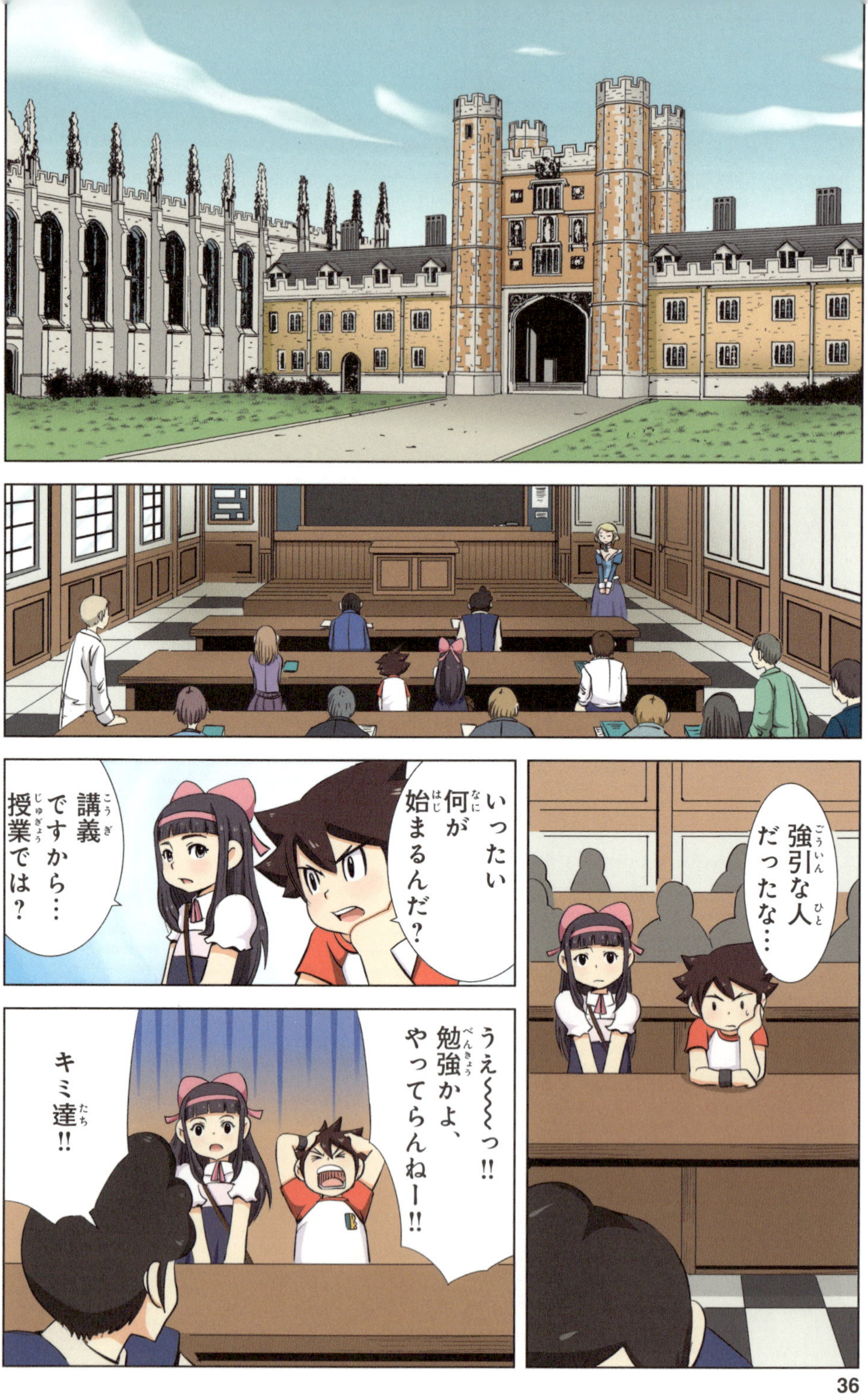

強引《ごういん》な人《ひと》だったな…
いったい何《なに》が始《はじ》まるんだ?
講義《こうぎ》ですから…授業《じゅぎょう》では?
うえ〜〜〜っ!!勉強《べんきょう》かよ、やってらんねー!!
キミ達《たち》!!

静《しず》かにしてくれないか…
講義《こうぎ》に集中《しゅうちゅう》できなくなるだろ!
ご…
ごめんなさい…
ガチャッ
みなさん、席《せき》についてください!先生《せんせい》がいらしたわ!
あら、あなた達《たち》…教科書《きょうかしょ》は?
あ…その…
忘《わす》れてきたのね…私《わたし》のを貸《か》してあげるわ!
あ…ありがとうございます!
おはよう諸君《しょくん》…

はじめて見《み》る顔《かお》もチラホラあるようだな…
光学《こうがく》の講義《こうぎ》を受《う》け持《も》つアイザック・ニュートンだ…
よろしく…
アイザック・ニュートン
ニュートン？どこかで聞《き》いたことあるような…
私《わたくし》、知《し》っていますわ！

あの方《かた》は……
万有引力《ばんゆういんりょく》を発見《はっけん》した天才物理学者《てんさいぶつりがくしゃ》ですわ！
まんじゅうにんにく？
バンユウインリョクですわ!!
そこの2人《り》！
あっ!?
静《しず》かにしたまえ！
す……すみません！
2人《り》ともあとで私《わたし》の研究室《けんきゅうしつ》にきなさい……
いいね？
は、はい……
よろしい……
では、プリズム実験《じっけん》についての話《はなし》を……
御堂君《みどうくん》のせいで怒《おこ》られてしまいましたわ……
え～…… オレのせいかぁ？

カーン
カーン
御堂君《みどうくん》、起《お》きてください！
ムニャ？
あ、オレ寝《ね》ちゃってた？
ヨダレっ!!
ふいて、ふいて!!
ダラー
…これを見《み》てください！
先《さき》ほどお借《か》りした教科書《きょうかしょ》ですが…
ん？これって…
きっと、X《エックス》からのヒントですわ!!
欲望《よくぼう》に身《み》をまかせるな
正義《せいぎ》の科学者《かがくしゃ》が知《し》る
理《ことわり》をあらわせ！　X《エックス》
〝正義《せいぎ》の科学者《かがくしゃ》が知《し》る…狸《たぬき》〟…？
〝理《ことわり》〟!!
〝正義《せいぎ》の科学者《かがくしゃ》〟ってだれのことだ？
さあ…〝理《ことわり》〟が何《なに》をあらわすかも分《わ》かりませんし…
is
but
正義《せいぎ》の科学者《かがくしゃ》が
理《ことわり》をあらわせ！

コナンに聞《き》いてみようぜ！
ヒント、見《み》つけたぞ～！
見《み》つけたのは私《わたくし》ですのに…
うん！こっちでも確認《かくにん》できたよ！
ニュートンさんなら何《なに》か知《し》っているかもしれないね！
ニュートンさん？
でも、あの人《ひと》は物理学者《ぶつりがくしゃ》なんだろ？
ビ
物理学《ぶつりがく》とは科学《かがく》の一分野《いちぶんや》!!
ヨ
つまり、物理学者《ぶつりがくしゃ》とは科学者《かがくしゃ》でもあるのです！
ン
わっ！相変《あいか》わらず、突然《とつぜん》出《で》てくるな…
失礼《しつれい》…私《わたくし》の出番《でばん》だと思《おも》いましたので…
それではあらためて、アイザック・ニュートンについて…
コホン

彼《かれ》は物理学者《ぶつりがくしゃ》であるばかりか、天文学者《てんもんがくしゃ》、数学者《すうがくしゃ》、自然科学者《しぜんかがくしゃ》、社会学者《しゃかいがくしゃ》でもあったのです！
多才《たさい》な方《かた》なんですね…
ちなみにニュートンは、ケンブリッジ大学《だいがく》で教授《きょうじゅ》として講義《こうぎ》を受《う》け持《も》っていました…
つまり、この場所《ばしょ》はイギリスのケンブリッジ大学《だいがく》だと思《おも》われます！
ケンブリッジ大学《だいがく》…！
てっきりお城《しろ》か何《なに》かかと…
そこは歴史《れきし》ある校舎《こうしゃ》なんだよ！
!!
ちょっと、あなた達《たち》!!

ニュートン先生《せんせい》に研究室《けんきゅうしつ》にくるよう言《い》われたでしょ!!
何《なに》してるのよ、まったく!!
あ…
忘《わす》れていましたわ…
ところで、えーと、あの…
…?
ああ…私《わたし》はジェーン・ホワイト…
ニュートン先生《せんせい》の助手《じょしゅ》をしているの!

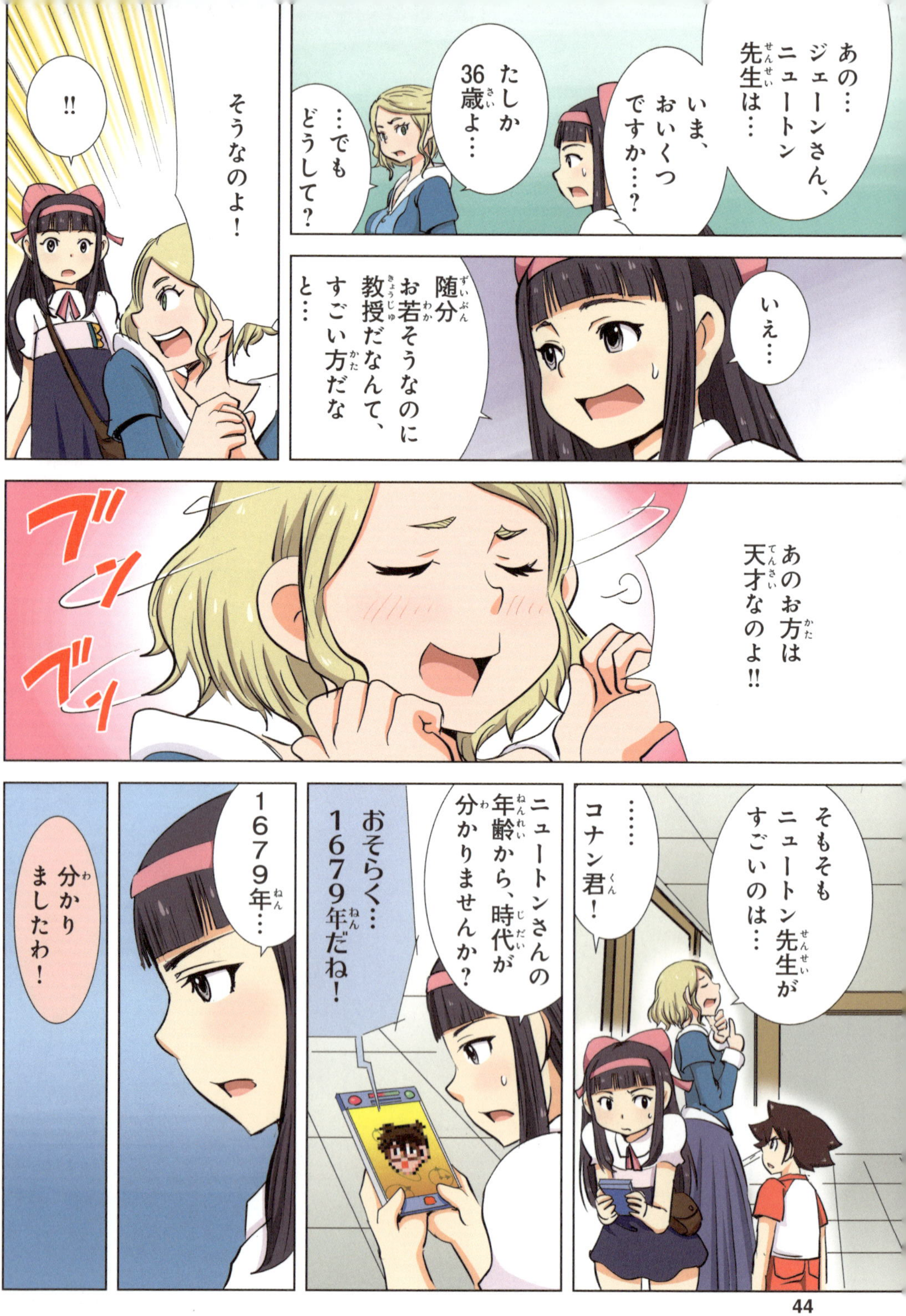
あの…ジェーンさん、ニュートン先生《せんせい》は…
いま、おいくつですか…？
たしか36歳《さい》よ…
…でもどうして？
いえ…
随分《ずいぶん》お若《わか》そうなのに教授《きょうじゅ》だなんて、すごい方《かた》だなと…
そうなのよ！
!!
あのお方《かた》は天才《てんさい》なのよ!!
ブン
ブンッ
そもそもニュートン先生《せんせい》がすごいのは…
……コナン君《くん》！
ニュートンさんの年齢《ねんれい》から、時代《じだい》が分《わ》かりませんか？
おそらく…1679年《ねん》だね！
1679年《ねん》…
分《わ》かりましたわ！

なるほど……
私《わたし》に足《た》りなかったのは、これだったか…
Paracelsus' Rezept

母《かあ》さん…
待《ま》っててくれ…
もうすぐ…
コンコン
Paracelsus' Rezept
パタン
…オホン…入《はい》りたまえ…
Paracelsus' Rezept
先生《せんせい》、2人《り》を連《つ》れてきました！
ご苦労《くろう》だったね、ジェーン…
ほら！
わわわわっ！
トンッ

授業中《じゅぎょうちゅう》に騒《さわ》いでごめんなさい…
すみませんでした…
ん？
ああ…そんなことは別《べつ》にどうでもいい…
え!?
じゃあ、どうして？
それより、キミ達《たち》名前《なまえ》は？
オ…オレは航《わたる》！
私《わたくし》は華帆《かほ》と申《もう》します…
航君《わたるくん》に…
華帆君《かほくん》か…
はじめて見《み》る顔《かお》だが、キミ達《たち》ほんとうにここの学生《がくせい》かい？
あ…あの私達《わたくしたち》は…
……

なるほど… ジェーンの早《はや》とちりで 強引《ごういん》に教室《きょうしつ》に…
それは悪《わる》いことを したね…
てっきり 飛《と》び級生《きゅうせい》かと… ごめんなさい…
い、いいえ！
カタッ
まあ、せっかく ここにきたんだ… 菓子《かし》でも食《た》べて くつろいでくれ…
え？ いいの!?
オレ、ずっと 腹減《はらへ》ってたんだ!!
いただき まーす!!
バリ バリ
少《すこ》しは 遠慮《えんりょ》を…
……
ぐーー
華帆《かほ》もこっちきてから 何《なに》も食《た》べてないだろ？
これ食《く》ってみろよ、 すげぇうまいぞ!!
い…
いただきます …
パクッ
ほんとうですわ！ とてもおいしい!!
だろ？ だろ～？

甘《あま》みの中《なか》にあるビミョーな苦《にが》みがまたサイ…コ…
えっ!?
バターム
ちょっと!! み、御堂君《みどうくん》!!
んがー
だいじょう…
ぶ…
です…の…
バタッ
オォォゴォォ

御堂君《みどうくん》！起《お》きてください!!
ムニャ？
あ、オレ寝《ね》ちゃってた？
ヨダレっ!!
ふいて、ふいて!!
ダラー
…それよりこれを見《み》てください！
ん？
えーーっ!!
な、な…何《なん》だよこれ!!
分《わ》かりませんわ…私《わたくし》もいま、気《き》がついたところですの…
ど…どうなってるんだ？
ようやく起《お》きたようだな…
!?

ニュートンさん!
これはいったいどういうことですの!?
オレ達《たち》、牢屋《ろうや》に入《い》れられるようなことなんて…
…私《わたし》は22歳《さい》で万有引力《ばんゆういんりょく》の法則《ほうそく》を発見《はっけん》した…
だが、この発見《はっけん》は、まだ論文《ろんぶん》としてどこにも発表《はっぴょう》していない…
私《わたし》しか知《し》らないはずの情報《じょうほう》を…なぜキミ達《たち》が知《し》っているのだ?
え?
そ、そうなの?
キミ達《たち》は私《わたし》の研究成果《けんきゅうせいか》を狙《ねら》うスパイ…
そうだろう?
ち、違《ちが》いますわ!! 事情《じじょう》をお話《はな》ししますので、ここから出《だ》してください!
ふ…まあいい…キミ達《たち》には…尊《とうと》い犠牲《ぎせい》になってもらうのだから…
尊《とうと》い犠牲《ぎせい》?
そう…

〝賢者《けんじゃ》の石《いし》〟のために、その命《いのち》をささげてもらうよ…！
〝賢者《けんじゃ》の石《いし》〟…？
ガリシャ
命《いのち》だって⁉ 冗談《じょうだん》じゃねえよ！ ここから出《だ》せ‼
だれか――‼ 助《たす》けてくれ‼
叫《さけ》んでもムダだ… ここは地下牢《ちかろう》… 助《たす》けはこないさ…
ガリシャ
ガリシャ
どうしたらいいんですの？ このままでは…
こんなところで死《し》ぬなんてイヤだからな‼
私《わたくし》だって…
⁉
ガチャ
あ…

あなたはたしか…
講義室《こうぎしつ》にいた!!
しーっ…ハリスだ…
た、助《たす》けてくださいますの?どうして…
ガチャガチャ
説明《せつめい》はあとだ…
よし…これなら何《なん》とかなりそうだ…
ガチン
開《あ》いたぞ!
さあ、早《はや》くこっちへ!
何《なに》をしているの?
ザッ
!!
ジェーンさん!!
ネズミ…いいえ、犬《いぬ》が紛《まぎ》れこんだみたいね…

おとなしく牢屋《ろうや》に戻《もど》りなさい…さもないと…
チャキッ
!!
チッ…しかたねぇ…
こうなったら奥《おく》の手《て》を使《つか》うしかねぇか…
パキン
パァァァ
あれっ!?
これは…
ピュン
もしかして…タイムドリフト!?
ゴォオオオ

いったい何《なに》がどうなったんですか!?
航《わたる》さんと華帆《かほ》さん、どこにいっちゃったの?
どうやら、タイムドリフトしたみたいね…
いきなり、何《なん》でだよ?
さあ…よく分《わ》からないわ…
それにしてもニュートンの野郎《やろう》…ひでぇよな…
万有引力《ばんゆういんりょく》を発見《はっけん》した偉大《いだい》な人物《じんぶつ》が、裏《うら》でこんなことを…ガッカリです…
歩美《あゆみ》、すごく怖《こわ》かった…
コナン君《くん》もそうでしょ?…コナン君《くん》?
……
航《わたる》さんと華帆《かほ》さんをタイムドリフトさせたハリスって男《おとこ》…まさか、アイツ…!?

コナンの推理《すいり》NOTE《ノート》

地球《ちきゅう》は丸《まる》くない!? これが古代《こだい》の宇宙観《うちゅうかん》だ!

祖先《そせん》＝古代《こだい》の人《ひと》びとは、宇宙《うちゅう》を神《かみ》がみと結《むす》びつけて思《おも》いをはせた!!

人《じん》類《るい》が生《う》まれるはるか昔《むかし》、およそ１３８億年前《おくねんまえ》に宇宙《うちゅう》は誕生《たんじょう》した。自分達人類《じぶんたちじんるい》が生《う》まれたとき、すでにこの宇宙《うちゅう》は目《め》の前《まえ》にあったのだ。だから人類《じんるい》は、その誕生《たんじょう》のときからずっと、太陽《たいよう》や月《つき》、そして足《あし》もとの大地《だいち》や海《うみ》に対《たい》して思《おも》いをはせてきた。未知《みち》の世界《せかい》に対《たい》する飽《あ》くなき探究心《たんきゅうしん》こそが、人類《じんるい》のその後《ご》の歴史《れきし》を形《かたち》づくってきたんだ。古代《こだい》の人《ひと》びとが想像《そうぞう》した宇宙《うちゅう》とはどんなものだったのか見《み》てみよう!

人類《じんるい》は昔《むかし》から、宇宙《うちゅう》の謎《なぞ》に挑戦《ちょうせん》してきたぞ!

ご先祖達《せんぞたち》には、広《ひろ》い宇宙《うちゅう》がどんなふうに〝見《み》えて〟いたのかな?

古代人《こだいじん》が考《かんが》えた、さまざまな「宇宙《うちゅう》」

古代《こだい》の中国《ちゅうごく》では、人《ひと》びとが住《す》む四角《しかく》い大地《だいち》を半球状《はんきゅうじょう》の天《てん》が覆《おお》っていると考《かんが》えられていたんじゃよ。

古代《こだい》インド

古代《こだい》インドでは、蛇《へび》と亀《かめ》、そして3頭《とう》のゾウによって自分達《じぶんたち》の住《す》む大地《だいち》が支《ささ》えられているのだと考《かんが》えた。また、大地《だいち》の中心《ちゅうしん》には雲《くも》を貫《つらぬ》きそびえる高《たか》い山《やま》があり、その山《やま》の頂上《ちょうじょう》に太陽《たいよう》が光《ひか》り輝《かがや》いているとした。右《みぎ》のイラストは、そうした宇宙観《うちゅうかん》を描《えが》いたものだといわれていたが、実《じつ》は19世紀《せいき》のヨーロッパの画家《がか》による創作《そうさく》だと、のちに分《わ》かったんだ。

古代《こだい》エジプト

紀元前《きげんぜん》3000年《ねん》ごろの古代《こだい》エジプトでは、大地《だいち》や天空《てんくう》をつかさどる神《かみ》がみによってこの世界《せかい》が成《な》り立《た》っていると考《かんが》えられていた。大地《だいち》の神《かみ》であるゲブが笑《わら》うと、その振動《しんどう》により作物《さくもつ》が元気《げんき》に成長《せいちょう》すると人《ひと》びとは信《しん》じていた。右《みぎ》のイラストで一番下《いちばんした》に横《よこ》たわっているのがゲブだ。

ほかの文明《ぶんめい》では宇宙《うちゅう》がどう見《み》えていたのか、調《しら》べてみよう！

コナンの推理《すいり》NOTE《ノート》

人類《じんるい》の歴史《れきし》と同《おな》じくらい長《なが》い、占《うらな》いの歴史《れきし》！！

人《ひと》びとが生活《せいかつ》するかたわらには、いつでも占《うらな》いがあった！

人《ひと》びとの未来《みらい》を知《し》りたい気持《きも》ちが、占《うらな》いを生《う》んだぞ！

占《うらな》いと聞《き》くと、何《なん》だか怪《あや》しいイメージを持《も》つ人《ひと》もいるかもしれない。しかし、古代《こだい》ギリシアの神話《しんわ》の時代《じだい》から、あるいは３０００年以上前《ねんいじょうまえ》の中国《ちゅうごく》の時代《じだい》から、占《うらな》いはとても神聖《しんせい》な行為《こうい》として国《くに》をあげて行《おこな》われていたんだ。占《うらな》いは、歴史《れきし》を動《うご》かすこともあったほど、人《ひと》びとの暮《く》らしに深《ふか》く根《ね》ざしていたんだよ。

おみくじ

神社《じんじゃ》や寺《てら》を詣《もう》でたときに、おみくじを引《ひ》いた経験《けいけん》がある人《ひと》はとても多《おお》いかもしれない。現代《げんだい》につながるおみくじのルーツは南北朝時代《なんぼくちょうじだい》から室町時代《むろまちじだい》にかけて中国《ちゅうごく》から伝《つた》わり、江戸時代《えどじだい》には大流行《だいりゅうこう》した。現在《げんざい》のように多《おお》くの場所《ばしょ》で気軽《きがる》におみくじが引《ひ》けるようになったのは明治《めいじ》に入《はい》ってからだ。そんなに昔《むかし》のことではなかったんだね。

大吉

現代《げんだい》のおみくじは「凶《きょう》」が少《すく》なくなっているといわれている。じゃが、江戸時代《えどじだい》は、「凶《きょう》」が全体《ぜんたい》の3～4割《わり》ほどあったといわれておるぞ!

これが大昔《おおむかし》の占《うらな》いだ!

木《き》の実《み》や動物《どうぶつ》の骨《ほね》のサイコロ

木《き》の実《み》や動物《どうぶつ》の骨《ほね》は古《ふる》くからサイコロをつくるのに用《もち》いられ、占《うらな》いに使《つか》われた。

生《い》き物《もの》の骨《ほね》を使《つか》った占《うらな》い

中国《ちゅうごく》や日本《にっぽん》では、亀《かめ》の甲羅《こうら》や動物《どうぶつ》の骨《ほね》を焼《や》いて、その割《わ》れ目《め》の形《かたち》から吉凶《きっきょう》を占《うらな》うこともあった。右《みぎ》が古代中国《こだいちゅうごく》、左《ひだり》が弥生時代《やよいじだい》の日本《にっぽん》で使《つか》われたもの。

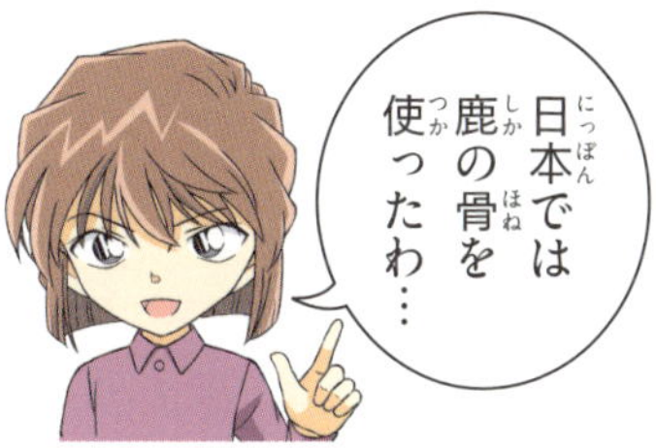

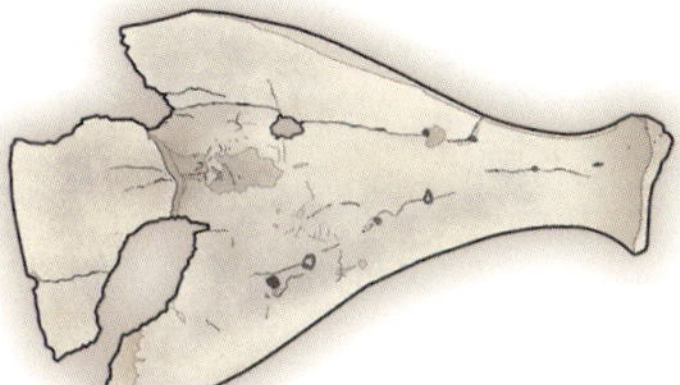

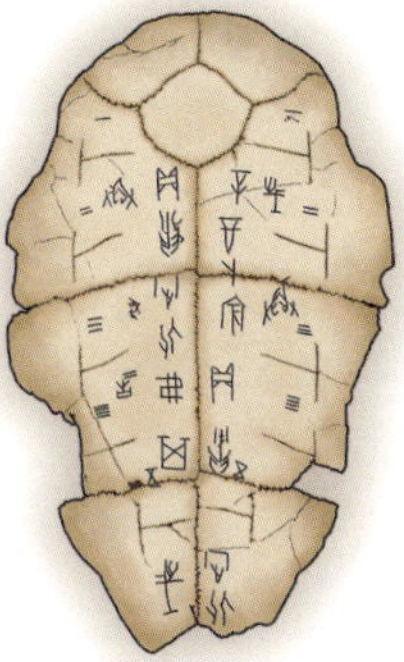

神《かみ》の声《こえ》を伝《つた》えた女性《じょせい》「巫女《みこ》」

群馬県《ぐんまけん》で出土《しゅつど》した埴輪《はにわ》「腰《こし》かける巫女《みこ》」。装飾品《そうしょくひん》をつけた姿《すがた》から身分《みぶん》が高《たか》かったことが分《わ》かる。

古代《こだい》ギリシアでは、ピュティアと呼《よ》ばれる巫女《みこ》(左《ひだり》)を通《とお》して、お告《つ》げを聞《き》いた。

古代《こだい》、神《かみ》や仏《ほとけ》からの“お告《つ》げ”は、その声《こえ》を聞《き》くことができる、もしくは憑依《ひょうい》(※)させることができる巫女《みこ》を通《とお》さないと知《し》ることができなかった。

※憑依《ひょうい》…霊《れい》などが人《ひと》のからだに入《はい》ること。

身近《みぢか》な星占《ほしうらな》いの歴史《れきし》に迫《せま》れ！

星占《ほしうらな》い

テレビや雑誌《ざっし》などで見《み》かけることの多《おお》い星《ほし》占《うらな》いだけれど、その起源《きげん》は、現在《げんざい》のイラク南部《なんぶ》、メソポタミア文明《ぶんめい》が栄《さか》えたころの羊《ひつじ》飼《か》いが星《ほし》の動《うご》きを見《み》て生《う》み出《だ》したといわれている。その後《ご》、古代《こだい》ギリシアや古代《こだい》ローマ、イスラム世界《せかい》をへて、ヨーロッパで占星術《せんせいじゅつ》として確立《かくりつ》されたんだ。羊飼《ひつじか》いが見上《みあ》げた星空《ほしぞら》は、いまとどこか違《ちが》うのかな!?

古代《こだい》エジプトの星座《せいざ》

メソポタミアで生《う》まれた星占《ほしうらな》い＝占星術《せんせいじゅつ》は、やがて古代《こだい》エジプトにも伝《つた》わった。上《うえ》の絵《え》は、クレオパトラが生《い》きていた時代《じだい》に建《た》てられた神殿《しんでん》の天井《てんじょう》に描《えが》かれた天体図《てんたいず》だ。エジプトの星座《せいざ》に加《くわ》えて、メソポタミアから伝《つた》わった星座《せいざ》も描《えが》かれているよ。いまはフランスのルーブル美術館《びじゅつかん》に展示《てんじ》されているんだ。

無形文化遺産《むけいぶんかいさん》になったアフリカの占《うらな》い

アフリカのナイジェリア連邦共和《れんぽうきょうわ》国《こく》に住《す》む民族《みんぞく》ヨルバ人《じん》は、古《こ》来《らい》、知恵《ちえ》と知能《ちのう》の発達《はったつ》をつかさどる神《かみ》イファを深《ふか》く信仰《しんこう》してきた。イファ神《しん》の〝お告《つ》げ〟が記《しる》されているとされる「オドゥ」という詩集《ししゅう》を読《よ》み解《と》くことで、さまざまな占《うらな》いを行《おこな》ってきた。2008年《ねん》にこの「イファの託宣《たくせん》」は、ユネスコの無形文化遺産《むけいぶんかいさん》にも登録《とうろく》されたんだ。

「オドゥ」の詩《し》には、ヨルバ人《じん》の歴史《れきし》、信仰《しんこう》、社会問題《しゃかいもんだい》などが反映《はんえい》されている。

「マジック（手品《てじな》）」の歴史《れきし》

ウーダンはもともと時計職人《とけいしょくにん》で、マジシャンになったのは40歳《さい》になってからだったんじゃ。イギリスのビクトリア女王《じょおう》の前《まえ》でもマジックを披露《ひろう》したんじゃよ。

右《みぎ》の絵《え》はマジシャンが「カップと玉《たま》」の手品《てじな》を披《ひ》露《ろう》している様子《ようす》を描《えが》いた15世紀《せいき》の絵画《かいが》だ。この手《て》品《じな》は紀元前《きげんぜん》から行《おこな》われてきた、世界最古《せかいさいこ》の手品《てじな》だといわれている。にもかかわらず、時代《じだい》を超《こ》えて人《ひと》びとを驚《おどろ》かせているんだ。

「マジック」には、「手品《てじな》」と「魔法《まほう》」という2つの意味《いみ》があるぞ！

左《ひだり》のイラストは、短刀《たんとう》を口《くち》に入《い》れ取《と》り出《だ》す演目《えんもく》「呑刀《どんとう》」。刀《かたな》に細工《さいく》はなく、口《くち》、喉《のど》、胃《い》を一直線《いっちょくせん》にするだけという、単《たん》純《じゅん》だけどとても危険《きけん》な技《わざ》だ。インドで生《う》まれ、中国《ちゅうごく》をへて、日本《にっぽん》に伝《つた》わった。

マジシャンとは、魔法使《まほうつか》いを演《えん》じる役者《やくしゃ》である。
19世紀《せいき》のマジシャン
ロベール・ウーダン（※）

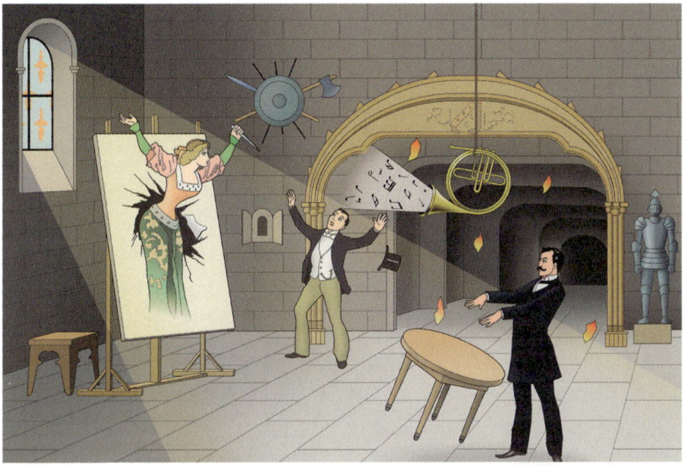

ロベール・ウーダンは、パーティーにいくかのような正装《せいそう》で、華《はな》やかにショーを行《おこな》い、怪《あや》しい魔術師《まじゅつし》のようだったマジシャンの印象《いんしょう》を変《か》えた。

※ロベール・ウーダン…近代奇術《きんだいきじゅつ》の父《ちち》と呼《よ》ばれるフランス人《じん》マジシャン。

FILE.3 賢者《けんじゃ》の石《いし》ってどんな石《いし》？

キ゚ュン
ザザッ
ゴイン

いでで…
わっ、真《ま》っ暗《くら》だ!!
こ、ここはどこですの？
ハリスさーん！
ザザッ
!!
御堂君《みどうくん》…!!
ば、化《ば》け物《もの》が!!
うわわわ！

化《ば》け物《もの》とは
失礼《しつれい》な…
私《わたし》の名《な》は、
パラケルスス
じゃ…
あ…
あの…
たっ、
大変《たいへん》失礼《しつれい》
しました!!

ふむ…
航《わたる》に
華《か》帆《ほ》か…
よく
きたのォ…
あの…
パラケルススさん
お聞《き》きしても？
何《なん》じゃ？
あんな洞窟《どうくつ》の奥《おく》で
何《なに》をして
いたのですか？
フッ…
お主《ぬし》らがくるのを
待《ま》っておったん
じゃよ…
え？
それは
どういうこと
ですの？
スッ
…空《そら》？

今日《きょう》、あの場所《ばしょ》にお主《ぬし》らがくると、星《ほし》が教《おし》えてくれたんじゃ…
えー!!
星《ほし》が〜〜〜？
まあ…
占星術《せんせいじゅつ》というヤツじゃな…
あ───……先生術《せんせいじゅつ》か〜あれね…
ムフン
発音《はつおん》は合《あ》ってますけど…
たぶん、はき違《ちが》えてますわよ…
それで…私達《わたくしたち》を待《ま》っていたのはなぜですの？
フフ…
ザザッ
ついてきたまえ…

わあ!
町《まち》に着《つ》いたようですわ…
?
何《なん》だ、何《なん》だ!?
ガヤ
ガヤ
さあ!!
寄《よ》ってらっしゃい、見《み》てらっしゃい!
たったいまから、この世《よ》の奇跡《きせき》を見《み》せて進《しん》ぜよう!!

お〜!
奇跡《きせき》だって!?
さあ!! とくとご覧《らん》あれ!
まずはこの中《なか》に何《なん》の変哲《へんてつ》もない石《いし》を入《い》れる…
チャポン
そしてそこに…
このヴォルフさまがつくった…
“賢者《けんじゃ》の石《いし》”を入《い》れる…!!
お、おい… “賢者《けんじゃ》の石《いし》”ってたしか…
……
ニュートンさんが話《はな》していたものですわ!
するとまか摩訶《まか》不思議《ふしぎ》…
チャポン
グッ
グッ
!!!

何《なん》の変哲《へんてつ》もない石《いし》が何《なん》と黄金《おうごん》に!!
パァァァ
おおお!
〝賢者《けんじゃ》の石《いし》〟があれば、無限《むげん》に黄金《おうごん》を生《う》み出《だ》せるんだ…
大金《おおがね》持《も》ちも同然《どうぜん》だ!
持《も》ってきた〝賢者《けんじゃ》の石《いし》〟は100個《こ》…
早《はや》い者《もの》勝《が》ちだぜ!!
オ、オレに売《う》ってくれ!
私《わたし》にも!!
オ…オレも欲《ほ》しいかも…
待《ま》つのじゃ!! みなの者《もの》…
だまされてはいかん!!
それは、〝賢者《けんじゃ》の石《いし》〟などではない…
ただの偽物《にせもの》じゃ…
何《なん》だと!! 本物《ほんもの》に決《き》まってるだろ!
ジジイの目《め》には見《み》えなかったかもしれんがな!

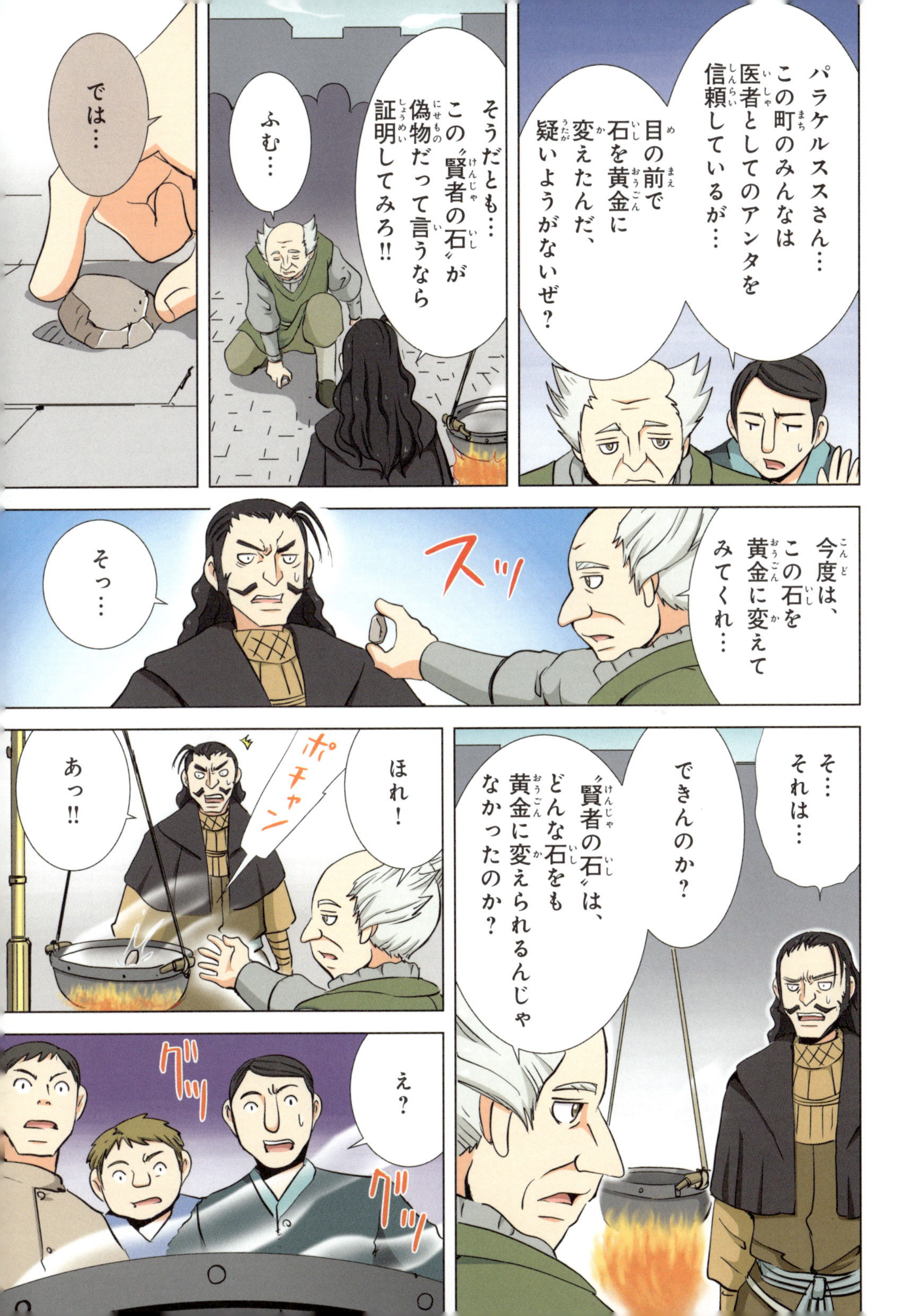
パラケルススさん…この町《まち》のみんなは医者《いしゃ》としてのアンタを信頼《しんらい》しているが…
目《め》の前《まえ》で石《いし》を黄金《おうごん》に変《か》えたんだ、疑《うたが》いようがないぜ？
そうだとも…この〝賢者《けんじゃ》の石《いし》〟が偽物《にせもの》だって言《い》うなら証明《しょうめい》してみろ!!
ふむ…
では…
今度《こんど》は、この石《いし》を黄金《おうごん》に変《か》えてみてくれ…
スッ
そっ…
そ…それは…
できんのか？
〝賢者《けんじゃ》の石《いし》〟は、どんな石《いし》をも黄金《おうごん》に変《か》えられるんじゃなかったのか？
ほれ！
ポチャン
あっ!!
え？
グッ
グッ

今度《こんど》は黄金《おうごん》に変《か》わらないぞ!?
ほんとうだ!!
〝賢者《けんじゃ》の石《いし》〟に見《み》せかけたのは、おそらく〝黒曜石《こくようせき》〟…石《いし》ころを黄金《おうごん》に変《か》える力《ちから》などありはせん…
でも、さっきはたしかに石《いし》が黄金《おうごん》に…
その鍋《なべ》に入《はい》っている液体《えきたい》は、ただのお湯《ゆ》ではなく酢《す》と塩《しお》を混《ま》ぜたもの…
そして〝何《なん》の変哲《へんてつ》もない石《いし》〟の正体《しょうたい》は、おおかた〝貧者《ひんじゃ》の金《きん》〟じゃろう…
ヒンジャノキン?
真鍮《しんちゅう》という金属《きんぞく》じゃ…
黄金色《こがねいろ》の真鍮《しんちゅう》を緑色《みどりいろ》のサビで覆《おお》い、石《いし》に見《み》せかける…
うぐぐ…

酢《す》と塩《しお》を混《ま》ぜた湯《ゆ》で、緑色《みどりいろ》のサビが発生《はっせい》した真鍮《しんちゅう》を煮《に》ると…
サビが落《お》ちて、真鍮本来《しんちゅうほんらい》の色《いろ》…黄金色《こがねいろ》に戻《もど》るというカラクリじゃ…!!
ぐ…なぜそれを…
危《あぶ》ねぇ――っ、だまされたぜ…
はい、解散《かいさん》、解散《かいさん》!!
パラケルススさん、助《たす》かったよ!
航《わたる》、華帆《かほ》…ワシらもいくとしよう…
う、うん!
チクショウ…!!よけいなマネを…
あのジジイ…
ヤツは、どうしてオレさまのカラクリを見破《みやぶ》ることができたんだ?

ここがワシの家《いえ》じゃ…
さあ、中《なか》へ…
おじゃましまーす…
さっき、町《まち》の方《かた》がお医者《いしゃ》さまだとおっしゃっていましたね…
ああ…
しがない町医者《まちいしゃ》をしているんじゃ…
それにしてもパラケルススさん…先《さき》ほどのイカサマに、よく気《き》がつかれましたね…
簡単《かんたん》なことじゃよ…

※卑金属《ひきんぞく》…貴金属《ききんぞく》（金《きん》、銀《ぎん》、プラチナなど）以外《いがい》の金属《きんぞく》。

錬金術《れんきんじゅつ》において
卑金属《ひきんぞく》を
金《きん》に変《か》えるための物質《ぶっしつ》…
魔法使《まほうつか》いが
魔法《まほう》を使《つか》うために必要《ひつよう》とする
杖《つえ》のようなものじゃな…
杖《つえ》なしでは
魔法《まほう》は使《つか》えぬ…
ゆえに錬金術師《れんきんじゅつし》は
〝賢者《けんじゃ》の石《いし》〟を
つくりだそうと
するのじゃ…
錬金術《れんきんじゅつ》のことが、
少《すこ》しずつ分《わ》かって
きましたわ…
ギィ
パラケルスス
先生《せんせい》～…
おや、
どうしたん
じゃ？
ヒョコ
ヒョコ
いでで…
畑仕事《はたけしごと》をしていたら
思《おも》いっきり脚《あし》を
ひねっちまって…

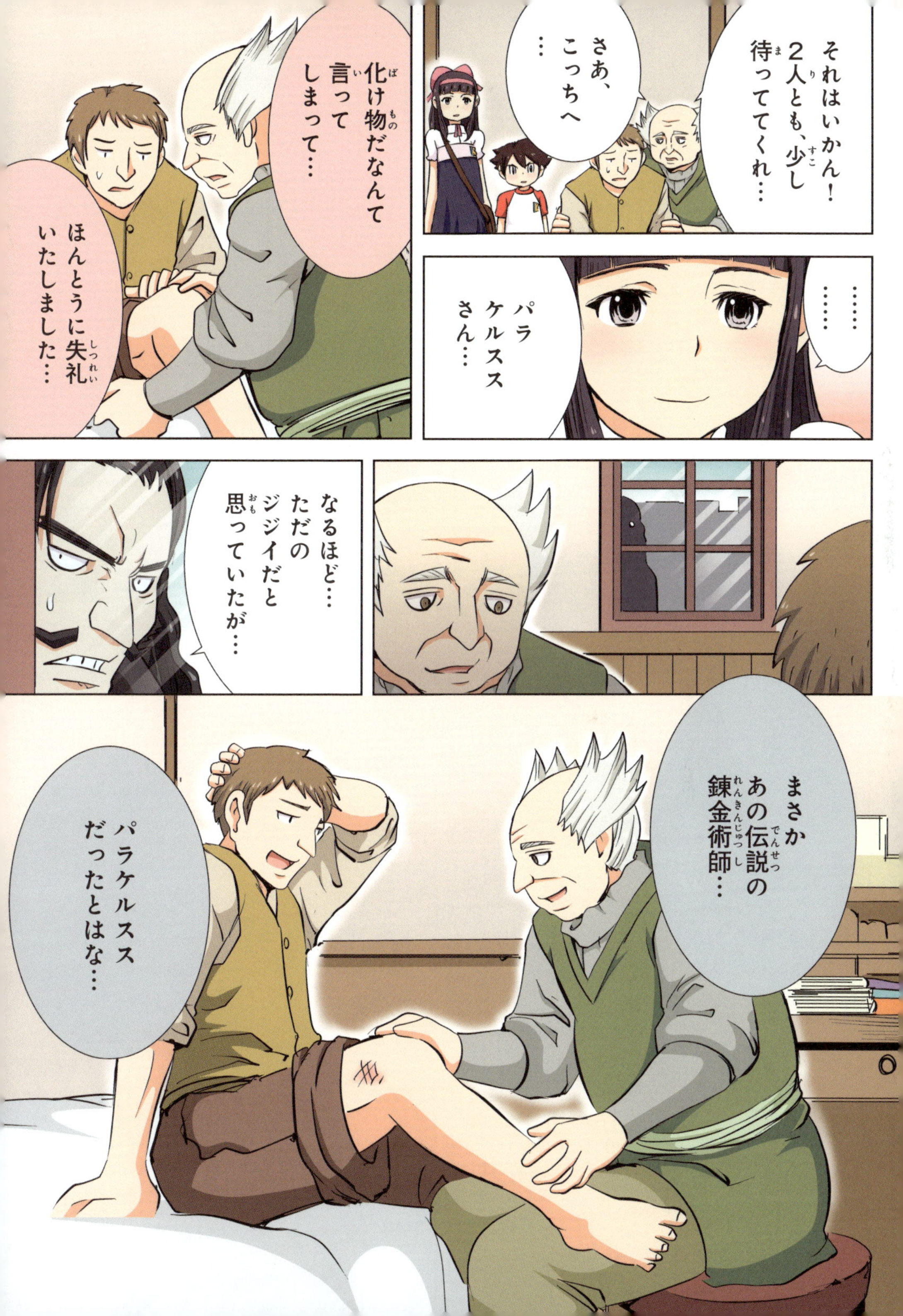
それはいかん！2人《り》とも、少《すこ》し待《ま》っててくれ…
さあ、こっちへ…
化《ば》け物《もの》だなんて言《い》ってしまって…
ほんとうに失礼《しつれい》いたしました…
……
パラケルススさん…
なるほど…ただのジジイだと思《おも》っていたが…
まさかあの伝説《でんせつ》の錬金術師《れんきんじゅつし》…
パラケルススだったとはな…

パラケルススさん、すごい手際《てぎわ》のよさ…
きっといいお医者《いしゃ》さまなのですね…
ん？
この箱《はこ》…何《なん》だろうな？
もしかして…黄金《おうごん》がたくさん入《はい》ってたりして…
勝手《かって》に触《さわ》ってはダメですわよ！
分《わ》かってるって！
それより…ニュートンさんも錬金術師《れんきんじゅつし》だったのかな？
そうかもしれません…〝賢者《けんじゃ》の石《いし》〟をつくろうとしていましたし…
シプジなら、何《なに》か知《し》ってるかな？
おーい、シプジ！

ビヨン
呼《よ》ばれて飛《と》び出《で》てシプジでございます〜!!
アイザック・ニュートンは、科学者《かがくしゃ》でありながら、錬金術師《れんきんじゅつし》でもありました…
錬金術《れんきんじゅつ》は科学《かがく》が発展《はってん》するに従《したが》って衰退《すいたい》していったため、彼《かれ》は〝最後《さいご》の錬金術師《れんきんじゅつし》〟とも呼《よ》ばれています!
やっぱりそうか…サンキュー!
シュン
いえいえ…またいつでもお呼《よ》びください!
パラケルススさんとニュートンさん…どっちかが〝正義《せいぎ》の科学者《かがくしゃ》〟かな?
それなら…パラケルススさんじゃないでしょうか…
だって、ニュートンさんは私達《わたしたち》の命《いのち》を奪《うば》おうと…
だよな! よーし、パラケルススさんに〝正義《せいぎ》の科学者《かがくしゃ》が知《し》る理《ことわり》〟、聞《き》いてみようぜ!
その必要《ひつよう》はありませんわ…私《わたくし》にスマタンを!
だいじょうぶか? チャンスは2回《かい》だぜ?
まかせてください!!

金《きん》を生《う》み出《だ》そうと思考錯誤《しこうさくご》した錬金術《れんきんじゅつ》の歴史《れきし》…
ですから、きっと…
歴史《れきし》は…
生《う》み出《だ》す…!
歴史《れきし》は生《う》み出《だ》す
え!?
ヴヴン
違《ちが》うんですの!?
くっ…違《ちが》ったか…!!
そ…そんな…
ふう…2人《り》とも待《ま》たせたな…
あ、いいえ…
さて、どこまで話《はな》した?
錬金術師《れんきんじゅつし》だったというお話《はなし》を…
なあ、この箱《はこ》、黄金《おうごん》が入《はい》ってたりするのか?

フン…ワシは もともと 黄金《おうごん》になど 興味《きょうみ》はない!
え… じゃあ、なぜ 錬金術《れんきんじゅつ》を…?
錬金術《れんきんじゅつ》において、卑金属《ひきんぞく》を金《きん》に変《か》えるのは ひとつの結果《けっか》でしかない…
もっとも 重要《じゅうよう》なのは…
錬金術《れんきんじゅつ》とは…
不完全《ふかんぜん》なものを 完全《かんぜん》にすること なのじゃ…
不完全《ふかんぜん》を 完全《かんぜん》に?
うむ…
そして この箱《はこ》の中《なか》に あるもの…
それこそが、お主《ぬし》らを 迎《むか》えにいった 理由《りゆう》なのじゃ…
ガチン
ワシが、かつて 追《お》い求《もと》めていたもの…

不老不死《ふろうふし》じゃ!!
へ？
ふ…不老不死《ふろうふし》？
人間《にんげん》は死《し》ぬことが宿命《しゅくめい》づけられた不完全《ふかんぜん》なもの…
それを…〝賢者《けんじゃ》の石《いし》〟によって完全《かんぜん》にすることで、不老不死《ふろうふし》にする…

ここにあるのは…
その研究《けんきゅう》のすべてなのじゃ…
ワシは何度《なんど》も、この資料《しりょう》をすべて燃《も》やそうとした…
じゃが…どうしてもこの手《て》がいうことを聞《き》かん！
そこでお主《ぬし》らに、ワシに代《か》わって、この資料《しりょう》を処分《しょぶん》してほしいのじゃ!!
!?
しょ…
処分《しょぶん》…!?

コナンの推理《すいり》NOTE《ノート》

錬金術《れんきんじゅつ》と錬丹術《れんたんじゅつ》でかなう!? 尽《つ》きない黄金《おうごん》と永遠《えいえん》の命《いのち》!!

光《ひか》り輝《かがや》く黄金《おうごん》と永遠《えいえん》の命《いのち》…。昔《むかし》もいまも人《ひと》びとの願《ねが》いは変《か》わらない!!

「もしも、黄金《おうごん》をいくらでも欲《ほ》しいだけ生《う》み出《だ》すことができたら」、「もしも、永遠《えいえん》に生《い》きられる薬《くすり》があったなら」――。

そんな、古《ふる》くから人間《にんげん》の心《こころ》をとらえて離《はな》さない欲望《よくぼう》や願望《がんぼう》をかなえるべく誕生《たんじょう》したのが「錬金術《れんきんじゅつ》」と「錬丹術《れんたんじゅつ》」だ。その術《じゅつ》にとらわれた人《ひと》を錬金術師《れんきんじゅつし》、錬《れん》丹術師《たんじゅつし》という。

しかし、錬金術師《れんきんじゅつし》が追《お》い求《もと》めたのは、黄金《おうごん》と永遠《えいえん》の命《いのち》だけではなかった。宇《う》宙《ちゅう》や身《み》のまわりに残《のこ》っていた多《おお》くの〝謎《なぞ》〟を解《と》き明《あ》かしたいという純粋《じゅんすい》な思《おも》いもあったんだ。その思《おも》いが積《つ》み重《かさ》なって、人《ひと》びとは次《つぎ》つぎと〝真理《しんり》〟を発見《はっけん》し、科学《かがく》を発展《はってん》させていったんだ。

飽《あ》くなき欲望《よくぼう》を
満《み》たすために、
人類《じんるい》は研究《けんきゅう》を
重《かさ》ね続《つづ》けてきた!

普段《ふだん》みんなが使《つか》っている磁器《じき》といわれる器《うつわ》の製法《せいほう》や、花火《はなび》のもととなる火薬《かやく》をつくる技術《ぎじゅつ》など、さまざまな技術《ぎじゅつ》が錬金術《れんきんじゅつ》の研究《けんきゅう》から生《う》まれたんじゃよ。

ただの鉄《てつ》を黄金《おうごん》に変《か》える!? 錬金術《れんきんじゅつ》

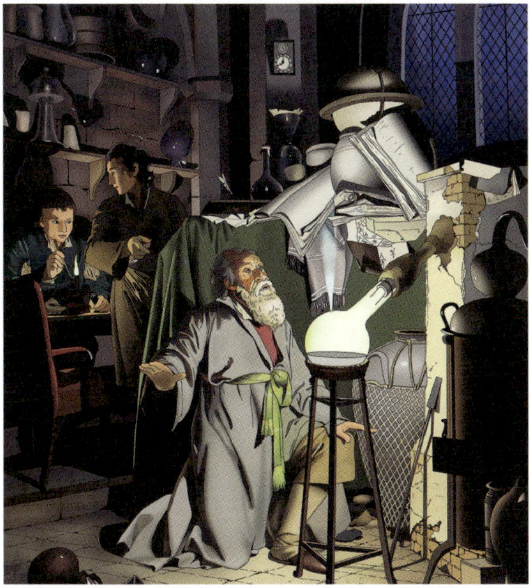

錬金術《れんきんじゅつ》

鉄《てつ》やアルミニウムなどの金属《きんぞく》（卑金属《ひきんぞく》）を金《きん》（貴金属《ききんぞく》）に変《か》えようとする術《じゅつ》のこと。古代《こだい》エジプトで誕生《たんじょう》したといわれ、中東《ちゅうとう》をへて、中世《ちゅうせい》のヨーロッパに広《ひろ》がった。そして、ヨーロッパの錬金術師《れんきんじゅつし》が必死《ひっし》に探《さが》し求《もと》めたのが「賢者《けんじゃ》の石《いし》」だ。あらゆる物《もの》を金《きん》に変《か》えたり、万病《まんびょう》を治《なお》したりする力《ちから》があると信《しん》じられていたんだ。

エメラルドタブレット

錬金術《れんきんじゅつ》にまつわるもっとも重要《じゅうよう》なことが記《しる》されているとして、中世《ちゅうせい》ヨーロッパでさかんに言《い》い伝《つた》えられてきたのが「エメラルドタブレット」だ。洞窟《どうくつ》から発見《はっけん》された、あるいはピラミッド型《がた》の建物《たてもの》で発見《はっけん》されたなどとウワサされてきたが、実際《じっさい》には実物《じつぶつ》は発見《はっけん》されておらず、この文章《ぶんしょう》を書《か》いたとされているヘルメス・トリスメギストスも伝説上《でんせつじょう》の人物《じんぶつ》だ。

これこそが本物《ほんもの》の「賢者《けんじゃ》の石《いし》」!?

古代中国《こだいちゅうごく》で不老不死《ふろうふし》の霊薬《れいやく》（※）をつくる大事《だいじ》な原料《げんりょう》として珍重《ちんちょう》されたのが、「辰砂《しんしゃ》」という赤《あか》い石《いし》。砕《くだ》いて粉状《こなじょう》にしたものを皮膚《ひふ》に塗《ぬ》ったり、水《みず》に溶《と》かして飲《の》んだりしたそうだ。

※霊薬《れいやく》…飲《の》めば不老不死《ふろうふし》になれると信《しん》じられていた薬《くすり》。

錬丹術《れんたんじゅつ》で不老不死《ふろうふし》を手《て》に入《い》れろ！

錬丹術《れんたんじゅつ》

古代中国《こだいちゅうごく》でさかんに試《こころ》みられた術《じゅつ》、それが錬《れん》丹術《たんじゅつ》だ。水銀《すいぎん》と硫黄《いおう》などでできている鉱物《こうぶつ》を主《おも》な原料《げんりょう》として、飲《の》んだら不老不死《ふろうふし》になれる薬《くすり》をつくろうとしたんだ。錬丹《れんたん》とは、不老不《ふろうふ》死《し》の薬《くすり》そのものを指《さ》す言葉《ことば》でもあるんだよ。錬金術《れんきんじゅつ》と錬丹術《れんたんじゅつ》の違《ちが》いは、ヨーロッパの錬金《れんきん》術《じゅつ》が金《きん》を生《う》み出《だ》すことを大《おお》きな目標《もくひょう》としたのに対《たい》して、錬丹術《れんたんじゅつ》は不老不死《ふろうふし》を大《おお》きな目標《もくひょう》としたことだ。

不老不死《ふろうふし》の薬《くすり》を探《さが》せ！

始皇帝《しこうてい》

中国《ちゅうごく》を最初《さいしょ》に統一《とういつ》した国《くに》、秦《しん》の初代皇帝《しょだいこうてい》。始皇帝《しこうてい》は、全国各地《ぜんこくかくち》をめぐって不老不死《ふろうふし》の薬《くすり》を探《さが》すよう家来達《けらいたち》に命《めい》じたといわれている。始皇帝《しこうてい》が不老不死《ふろうふし》の薬《くすり》と信《しん》じて飲《の》んだものには猛毒《もうどく》の水銀《すいぎん》が含《ふく》まれていたため、水《すい》銀中毒《ぎんちゅうどく》で死《し》んだのではないかともいわれているんだ。

蓬莱山《ほうらいさん》
仙人《せんにん》が住《す》み、黄金《おうごん》があふれ、不老不死《ふろうふし》の薬《くすり》があるとされた。

古代中国《こだいちゅうごく》で説《と》かれた、海《うみ》の中《なか》にそびえるとされている伝説上《でんせつじょう》の山《やま》。始皇帝《しこうてい》に不老《ふろう》不死《ふし》の薬《くすり》を探《さが》しにいくように命《めい》じられた家来《けらい》の徐福《じょふく》は日本《にっぽん》にきたとされ、実《じつ》は蓬《ほう》莱山《らいさん》は日本《にっぽん》を指《さ》していたのではないかともいわれているんだ。

日本各地《にっぽんかくち》に蓬莱山《ほうらいさん》の伝説《でんせつ》が残《のこ》っているぞ！

中世《ちゅうせい》ヨーロッパでは、切開手術《せっかいしゅじゅつ》を行《おこな》う外科医《げかい》は「理髪外科医《りはつげかい》」と呼《よ》ばれ、刃物《はもの》の扱《あつか》いに慣《な》れた理髪師《りはつし》も外科手術《げかしゅじゅつ》を行《おこな》えたんじゃよ。

錬金術《れんきんじゅつ》と医術《いじゅつ》を結《むす》んだパラケルスス

パラケルスス

スイス生《う》まれのパラケルススは、錬金術《れんきんじゅつ》と医学《いがく》を学《まな》んだのちヨーロッパ各地《かくち》を転々《てんてん》としたけれど、最終的《さいしゅうてき》に故郷《こきょう》に戻《もど》り、バーゼル大学《だいがく》で教師《きょうし》となって学生《がくせい》にその知識《ちしき》を授《さず》けた。たくさんの著作《ちょさく》を残《のこ》したパラケルススは、「医化学《いかがく》の祖《そ》」とも呼《よ》ばれているよ。錬金術《れんきんじゅつ》を通《とお》して身《み》につけた水銀《すいぎん》をはじめとする物質《ぶっしつ》の知識《ちしき》が、病気《びょうき》の治療《ちりょう》に役立《やくだ》つことに早《はや》くから気《き》づき、医学《いがく》にも革命《かくめい》をもたらしたんだ。

バーゼル大学《だいがく》

ホムンクルス

パラケルススは、ラテン語《ご》で「小《ちい》さな人《ひと》」を意味《いみ》する人造人間《じんぞうにんげん》、「ホムンクルス」を生《う》み出《だ》す研究《けんきゅう》も行《おこな》った。

コナンの推理《すいり》NOTE《ノート》

世界《せかい》のしくみを解《と》き明《あ》かせ！ 17世紀《せいき》の"科学革命《かがくかくめい》"!!

人《ひと》びとが積《つ》み重《かさ》ねてきた観察《かんさつ》や実験《じっけん》が、17 世紀《せいき》に一気《いっき》に花開《はなひら》いた !!

人《じん》類《るい》が古代《こだい》から積《つ》み上《あ》げてきた研《けん》究《きゅう》と発見《はっけん》の歴史《れきし》、それが科学《かがく》の歴史《れきし》だ。古代《こだい》ギリシア・古代《こだい》ローマでうぶ声《ごえ》をあげた科学研究《かがくけんきゅう》の芽《め》は、各地《かくち》に広《ひろ》がり、主《おも》にイスラム世界《せかい》が受《う》けつぎ育《はぐ》んだ。その後《ご》ヨーロッパに受《う》けつがれ、17世紀《せいき》になって爆発的《ばくはつてき》に発展《はってん》したんだ。その発展《はってん》にはニュートンやケプラーをはじめ天才科学者《てんさいかがくしゃ》が大《おお》きくかかわったけれど、実《じつ》はその陰《かげ》には、無《む》数《すう》の科学者《かがくしゃ》や研究者達《けんきゅうしゃたち》の飽《あ》くなき探究《たんきゅう》心《しん》と努力《どりょく》の蓄積《ちくせき》があったんだよ。

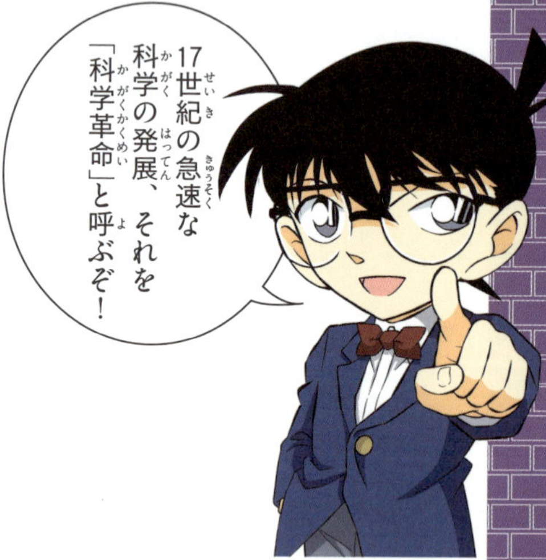
17世紀《せいき》の急速《きゅうそく》な科学《かがく》の発展《はってん》、それを「科学革命《かがくかくめい》」と呼《よ》ぶぞ！

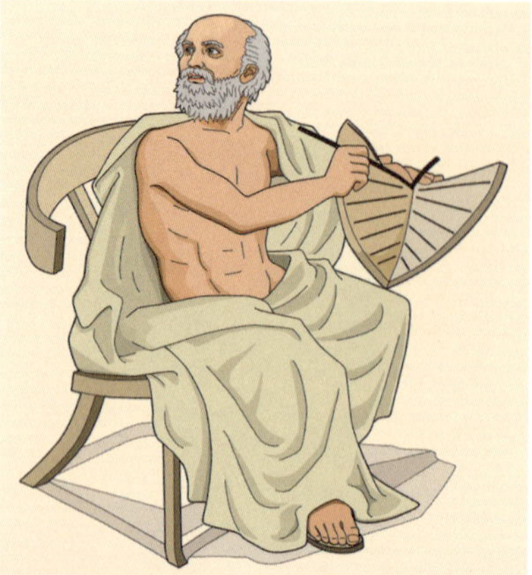

古代《こだい》ギリシアの科学《かがく》

古代《こだい》ギリシアでは数学《すうがく》や科学《かがく》を含《ふく》む哲学《てつがく》が大《おお》いに発展《はってん》して、アリストテレスやプラトン、ソクラテスなど現代《げんだい》にも名《な》を残《のこ》す哲学者《てつがくしゃ》を数多《かずおお》く生《う》み出《だ》した。古代《こだい》ギリシアにもさまざまな宇宙観《うちゅうかん》、世界観《せかいかん》があったけれど、それまでの考《かんが》えを大《おお》きく覆《くつがえ》したのがアナクシマンドロスという哲《てつ》学者《がくしゃ》だ。彼《かれ》は、地球《ちきゅう》は円筒形《えんとうけい》であり、円筒《えんとう》の上側《うわがわ》の平《たい》らな部分《ぶぶん》に自分達《じぶんたち》が住《す》んでいると考《かんが》えた。その考《かんが》えにもとづき、史上初《しじょうはつ》の世界地図《せかいちず》をつくったんだ。この地図《ちず》では、中心《ちゅうしん》にエーゲ海《かい》があり、上《うえ》にヨーロッパ大陸《たいりく》、右下《みぎした》にアジア大陸《たいりく》、左下《ひだりした》にアフリカ大陸《たいりく》が配置《はいち》されている。

☞イスラム科学《かがく》についてくわしくは、『世界史探偵《せかいしたんてい》コナン第《だい》10巻《かん》 アラビアンナイトの真実《ミステリー》』を読《よ》もう！

中世《ちゅうせい》のキリスト教《きょう》の教《おし》えを守《まも》る国《くに》ぐにでは、宇宙《うちゅう》の中心《ちゅうしん》は地球《ちきゅう》で、太陽《たいよう》やほかの天体《てんたい》は、そのまわりを回《まわ》っているという「天動説《てんどうせつ》」が主流《しゅりゅう》だったぞ。

受《う》けつがれた古代《こだい》の知恵《ちえ》

古代《こだい》ギリシア・古代《こだい》ローマ

中世《ちゅうせい》ヨーロッパ

古代《こだい》ギリシア・古代《こだい》ローマで生《う》まれた科学《かがく》だけれど、キリスト教《きょう》の教《おし》えに反《はん》するものだとして中世《ちゅうせい》ヨーロッパには受《う》け入《い》れられなかった。

イスラム科学《かがく》

中東《ちゅうとう》のイスラム世界《せかい》では、古代《こだい》ギリシアの書物《しょもつ》を各地《かくち》から集《あつ》めて、アラビア語《ご》への翻訳《ほんやく》を次《つぎ》つぎと行《おこな》った。海《うみ》や砂漠《さばく》など、道《みち》しるべを見《み》つけにくい地域《ちいき》に住《す》む彼《かれ》らにとって、太陽《たいよう》や月《つき》、星《ほし》を観測《かんそく》し、計算《けいさん》することは命《いのち》にかかわることだったんだ。

イスラム世界《せかい》で天文学《てんもんがく》や数学《すうがく》が発達《はったつ》したのは、命《いのち》にかかわることだったからなんじゃな!

科学《かがく》の夜明《よあ》け、ルネサンス!

ルネサンスとは「復活《ふっかつ》」「再生《さいせい》」を意味《いみ》するフランス語《ご》で、キリスト教中心《きょうちゅうしん》の考《かんが》えかたから離《はな》れ、古代《こだい》ギリシアや古代《こだい》ローマの文化《ぶんか》、歴史《れきし》に光《ひかり》を灯《とも》す運動《うんどう》のこと。この運動《うんどう》により、中世《ちゅうせい》ヨーロッパでは科学研究《かがくけんきゅう》が本格化《ほんかくか》し、発展《はってん》したよ。

いよいよ近代科学《きんだいかがく》が幕《まく》を開《あ》けるぞ!

天動説《てんどうせつ》に異《い》を唱《とな》え、地動説《ちどうせつ》(※)を主張《しゅちょう》した天文学者《てんもんがくしゃ》・コペルニクス。

※地動説《ちどうせつ》…太陽《たいよう》が動《うご》いているのではなく、地球《ちきゅう》が太陽《たいよう》のまわりを回《まわ》っていると考《かんが》える説《せつ》。

近代《きんだい》科学《かがく》の父《ちち》は、"最後《さいご》の錬金術師《れんきんじゅつし》"!?

アイザック・ニュートン

17世紀科学革命《せいきかがくかくめい》の功労者《こうろうしゃ》ともいえるニュートンは、「近代科学《きんだいかがく》の父《ちち》」と呼《よ》ばれる。力学《りきがく》や光学《こうがく》をはじめとした科学分野《かがくぶんや》のみならず、数学《すうがく》においても数多《かずおお》くの発見《はっけん》をした。また、"最後《さいご》の錬金術師《れんきんじゅつし》"とも呼《よ》ばれ、エメラルドタブレット（→83ページ）の翻訳《ほんやく》にも力《ちから》を注《そそ》ぎ、錬金術《れんきんじゅつ》の研究《けんきゅう》に日夜明《にちやあ》け暮《く》れた。自筆《じひつ》の研究《けんきゅう》ノートには65万語《まんご》にもおよぶ研究内容《けんきゅうないよう》が記《しる》されていた。

すごい人《ひと》なんですね！

ニュートンの主《おも》な実績《じっせき》は、
この3つじゃ！
①運動《うんどう》の3法則《ほうそく》の発見《はっけん》
②万有引力《ばんゆういんりょく》の法則《ほうそく》の発見《はっけん》
③反射望遠鏡《はんしゃぼうえんきょう》の発明《はつめい》

これがニュートンの錬金術研究《れんきんじゅつけんきゅう》ノートだ！

ニュートンが死《し》んで200年余《ねんあま》りたった1936年《ねん》、ニュートンの未発表《みはっぴょう》ノートが突如《とつじょ》としてオークションに出品《しゅっぴん》され、イギリスの経済学者《けいざいがくしゃ》・ケインズがその半分《はんぶん》を落札《らくさつ》した。ノートの大半《たいはん》は、錬金術《れんきんじゅつ》に関《かん》する研究《けんきゅう》について書《か》かれたものだった。ケインズは自身《じしん》の論文《ろんぶん》で「ニュートンは理性《りせい》の時代《じだい》の"最初《さいしょ》の人《ひと》"ではなく、"最後《さいご》の魔術師《まじゅつし》"であった」と書《か》いた。現在《げんざい》、ニュートンが遺《のこ》したノートの多《おお》くは、中東《ちゅうとう》イスラエルの国立図書館《こくりつとしょかん》に収《おさ》められているよ。

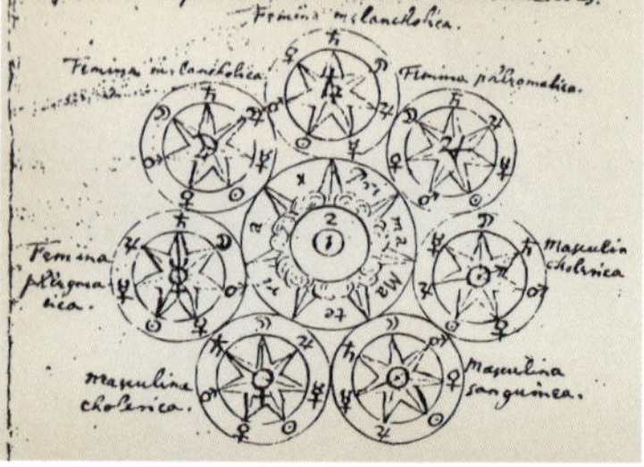

天文学者《てんもんがくしゃ》は"占星術師《せんせいじゅつし》"だった!?

ケプラーは、占星術《せんせいじゅつ》を迷信《めいしん》だと思《おも》いつつ、惑星《わくせい》の並《なら》びが人《ひと》や自然《しぜん》に何《なん》らかの影響《えいきょう》を与《あた》えるものだと信《しん》じてもいたんじゃぞ。

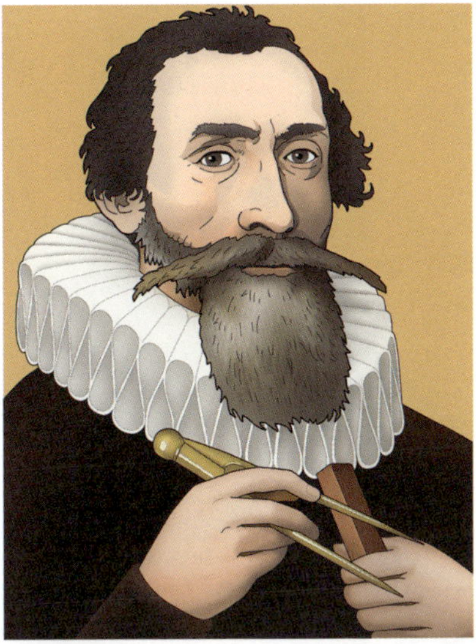

ヨハネス・ケプラー

ニュートンと同《おな》じく、17世紀《せいき》の科学革命《かがくかくめい》に大《おお》きく貢献《こうけん》したケプラーは、ドイツの天文学者《てんもんがくしゃ》。デンマークの天文学者《てんもんがくしゃ》ティコ・ブラーエの研究《けんきゅう》を引《ひ》きつぎ、地動説《ちどうせつ》をはじめて証明《しょうめい》した。一方《いっぽう》で、占星術師《せんせいじゅつし》としても有名《ゆうめい》だった。占星術《せんせいじゅつ》とは、天体《てんたい》の位置《いち》や動《うご》きで人《ひと》びとの運勢《うんせい》や社会《しゃかい》の動向《どうこう》を占《うらな》う術《じゅつ》のこと。占星術《せんせいじゅつ》で稼《かせ》いだお金《かね》を天文学《てんもんがく》の研究費《けんきゅうひ》にあてていたんだ。

ケプラーの主《おも》な業績《ぎょうせき》は、惑星《わくせい》の運動《うんどう》に関《かん》する法則《ほうそく》(ケプラーの法則《ほうそく》)の発見《はっけん》じゃ!

占星術《せんせいじゅつ》で戦争《せんそう》を予言《よげん》!?

科学《かがく》と同様《どうよう》に、占星術《せんせいじゅつ》も古代《こだい》ギリシア・古代《こだい》ローマからイスラム世界《せかい》に伝《つた》わり、発展《はってん》した。古代《こだい》ギリシア・ローマの占星術《せんせいじゅつ》が個人《こじん》の運勢《うんせい》占《うらな》いが中心《ちゅうしん》だったのに対《たい》し、アラビア(※)占星術《せんせいじゅつ》は、盗人《ぬすっと》の発見《はっけん》や吉日《きちじつ》の判別《はんべつ》、災害《さいがい》や戦争《せんそう》などの前兆《ぜんちょう》の判断《はんだん》まで占《うらな》っていたんだ。

科学《かがく》の発展《はってん》の裏《うら》には、錬金術《れんきんじゅつ》や占星術《せんせいじゅつ》の研究《けんきゅう》があったんだ!

へえ〜!

※アラビア…中東《ちゅうとう》の中《なか》でも、南西端《なんせいたん》にある大半島《だいはんとう》。住民《じゅうみん》の多《おお》くがイスラム教《きょう》を信仰《しんこう》する。

FILE. 4
パラケルススの真実《しんじつ》
バサッ
ほんとうに燃《も》やしていいのかな？
パラケルススさんの願《ねが》いですし…
ちょっと、御堂君《みどうくん》！勝手《かって》に読《よ》んではダメですわ!!
少《すこ》し見《み》てるだけだって…
いけませんわ！パラケルススさんだって…
これは禁断《きんだん》の書《しょ》だから、だれの目《め》にも触《ふ》れてはいけないと…

まあ、外国《がいこく》の本《ほん》ですし、御堂君《みどうくん》には読《よ》めないでしょうけど！
あれ…
何《なん》か急《きゅう》に、文字《もじ》が読《よ》めるようになったぞ！
え!?
Paracelsus' Rezept
ほ、ほんとうですわ…
いったいどうして…
オレ達《たち》がタイムドリフトによって成長《せいちょう》したってことなのかもな！
全然《ぜんぜん》説得力《せっとくりょく》がありませんわ…
せっかくだから全部《ぜんぶ》読《よ》んじゃえ…
あっ！
だから、これは禁断《きんだん》の書《しょ》です!!
ヒントがあるかもしれないだろ？
いけませんわ…
この本《ほん》を処分《しょぶん》することが…

Paracelsus' Rezept
パラケルススさんの〝願《ねが》い〟なんですから…
ボフッ
うわぁっ!!
なな…何《なん》だ、いきなり!!
ゲホッ、ゲホッ!
!?
ほ、本《ほん》がなくなっていますわ!!
えっ!?
あ!! ヴォルフとかいうインチキ野郎《やろう》だ!!

こんな貴重《きちょう》な本《ほん》を燃《も》やされてたまるか！
いらないんなら、オレさまが有効《ゆうこう》に使《つか》ってやるよ!!
Paracelsus' Rezept
おい、待《ま》て!!
何《なに》ごとじゃ？
大変《たいへん》ですわ!!
錬金術《れんきんじゅつ》の本《ほん》を奪《うば》われてしまったんですの!!
何《なに》!?
それはいかん!!
あの本《ほん》に書《か》かれた研究《けんきゅう》は不完全《ふかんぜん》なもの…悪用《あくよう》されたら大事《おおごと》じゃ!!
マジかよ！
どうしよう…!!
とにかく追《お》いかけますわよ！御堂君《みどうくん》!!
おお！

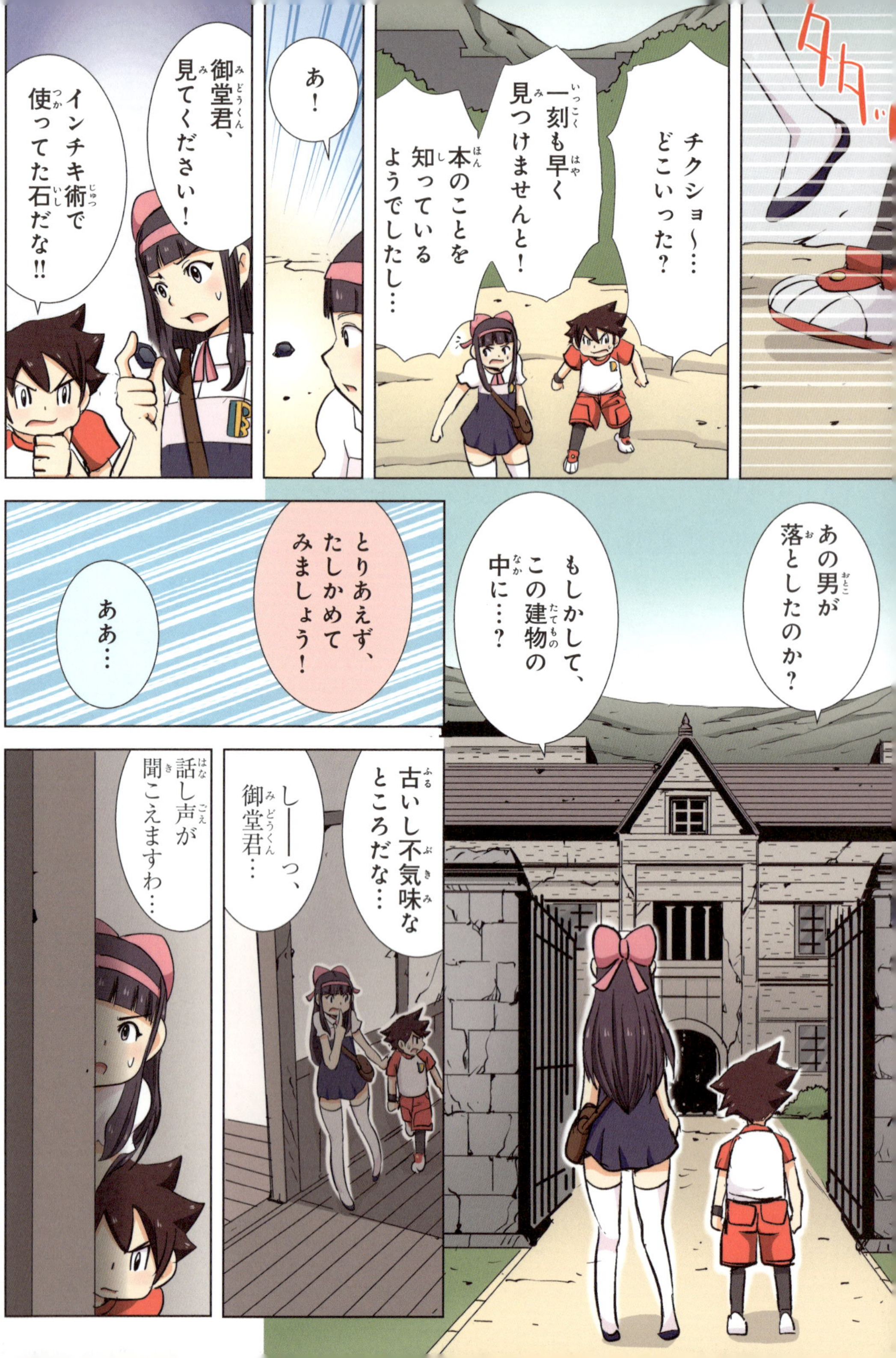

タダ
チクショ～…どこいった？
一刻《いっこく》も早《はや》く見《み》つけませんと！
本《ほん》のことを知《し》っているようでしたし…
あ！
御堂君《みどうくん》、見《み》てください！
インチキ術《じゅつ》で使《つか》ってた石《いし》だな‼
あの男《おとこ》が落《お》としたのか？
もしかして、この建物《たてもの》の中《なか》に…？
とりあえず、たしかめてみましょう！
ああ…
古《ふる》いし不気味《ぶきみ》なところだな…
しーーっ、御堂君《みどうくん》…
話《はな》し声《ごえ》が聞《き》こえますわ…

オレみたいな物乞《ものご》いに食《く》い物《もの》を恵《めぐ》んでくれるなんて…
何《なん》ていい人《ひと》なんだ、アンタは…
腹《はら》いっぱい食《く》うがいい！
お前《まえ》に話《はな》しても分《わ》かるまいが、今日《きょう》、オレは、すごい本《ほん》を手《て》に入《い》れたんだ!!
Paracelsus' Rezept
この本《ほん》さえあれば、オレの将来《しょうらい》はバラ色《いろ》なのさ！そのお裾分《すそわ》けみたいなもんだ!!
なになに…〝哲学《てつがく》の硫黄《いおう》〟に〝哲学《てつがく》の塩《しお》〟だって!?
あいつを止《と》めて、本《ほん》を取《と》り返《かえ》さないと…
その〝哲学《てつがく》の塩《しお》〟ってやつを…このスープの味付《あじつ》けに使《つか》ったのかい？
いや…
〝哲学《てつがく》の塩《しお》〟は…いまから手《て》に入《い》れる!!

いまから!? 何《なん》だか知《し》らんがうまいなコレ…
その塩《しお》は〝命《いのち》の灰《はい》の中《なか》〟にあるんだ…
つまり、〝生《い》けにえ〟を燃《も》やした、その灰《はい》の中《なか》にな…
パタン
アンタ、さっきから何《なに》を…
偉大《いだい》な実験《じっけん》の生《い》けにえになることを…
え？
誇《ほこ》るがいい!!
ひいい!!
早《はや》く逃《に》げろ!!
なっ!?
お前達《まえたち》か！またジャマをするつもりか!!
ガタッ
ア、アンタ…オレを殺《ころ》す気《き》で…
ふ、ふざけるなァ！
この人殺《ひとごろ》しぃ！

ガシャッ
ぐっ！
チッ
!!
た、大変《たいへん》だ!!
ひいいい！
薬品《やくひん》に引火《いんか》したんですわ!!
早《はや》く逃《に》げませんと！
ああ！
何《なに》してるんだ！お前《まえ》も逃《に》げろ!!
……っ！
ダッ
あ！
おいっ!!

パラケルススの本《ほん》！
あれだけは絶対《ぜったい》に
手放《てばな》すものか!!
オォオ
そんなこと
言《い》ってる場合《ばあい》
かよ!?
いっちゃ
ダメだ!!
御堂君《みどうくん》!!
もう
火《ひ》が…
くっ…
チクショ——!!
オォォオ
本《ほん》！
本《ほん》はどこだ!!
オオオ
!!
おお!!
ぶじだったか！
Paracelsus'
Rezept

これさえあれば大金持《おおがねも》ちに…
いや…
世界《せかい》を支配《しはい》することだって…
バキッ
可能《かのう》…!!
バキ
バキバキ
ズズ

おい、大変《たいへん》だ！火事《かじ》だぞ!!
水《みず》だ、水《みず》!!
急《いそ》げ!!
華帆君《かほくん》、航君《わたるくん》、だいじょうぶか!?
!!

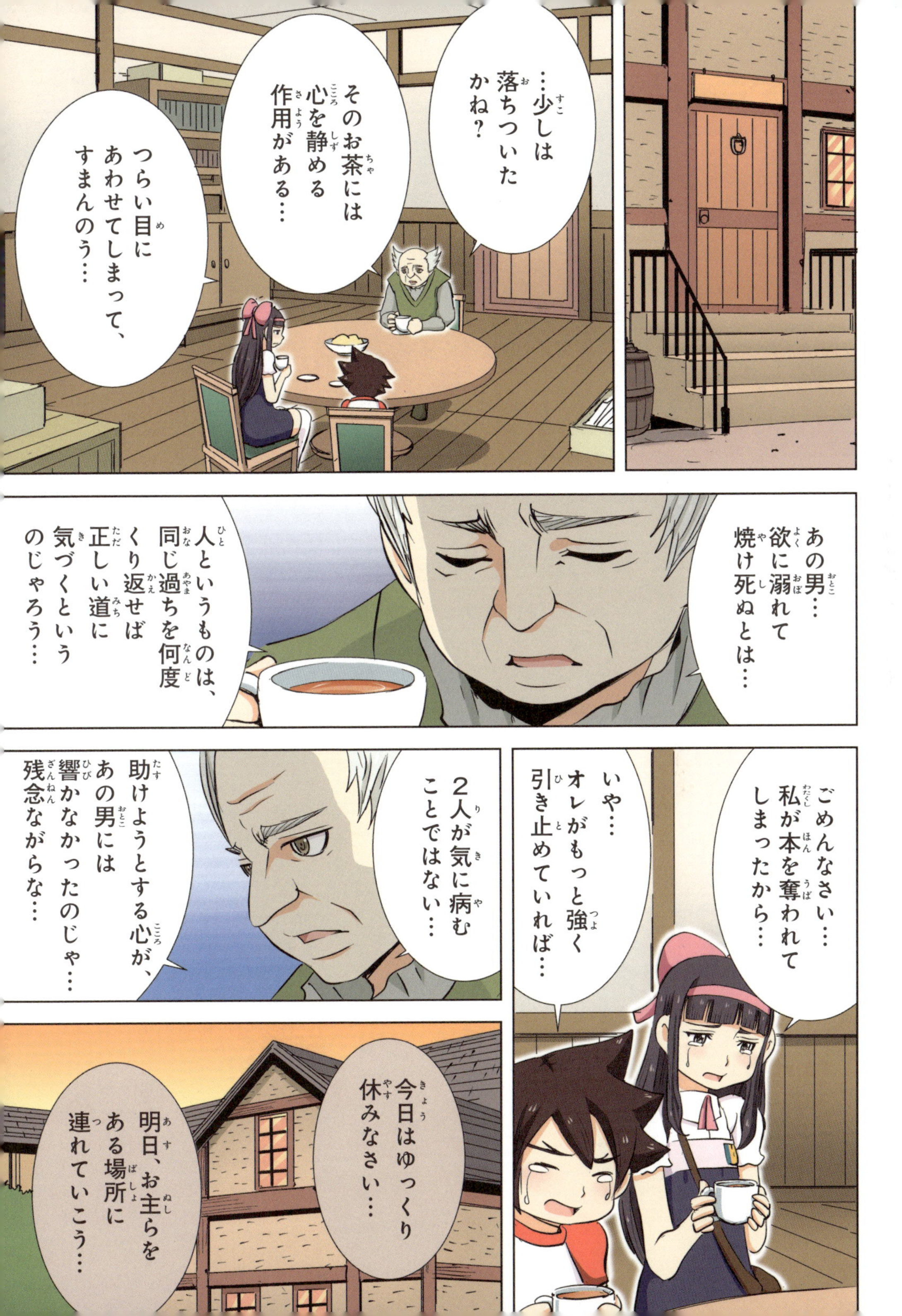
…少《すこ》しは落《お》ちついたかね？
そのお茶《ちゃ》には心《こころ》を静《しず》める作《さ》用《よう》がある…
つらい目《め》にあわせてしまって、すまんのう…
あの男《おとこ》…欲《よく》に溺《おぼ》れて焼《や》け死《し》ぬとは…
人《ひと》というものは、同《おな》じ過《あやま》ちを何度《なんど》くり返《かえ》せば正《ただ》しい道《みち》に気《き》づくというのじゃろう…
ごめんなさい…私《わたくし》が本《ほん》を奪《うば》われてしまったから…
いや…オレがもっと強《つよ》く引《ひ》き止《と》めていれば…
2人《り》が気《き》に病《や》むことではない…
助《たす》けようとする心《こころ》が、あの男《おとこ》には響《ひび》かなかったのじゃ…残念《ざんねん》ながらな…
今日《きょう》はゆっくり休《やす》みなさい…
明日《あす》、お主《ぬし》らをある場所《ばしょ》に連《つ》れていこう…

あくる日《ひ》——
お墓《はか》…ですか？
パラケルススさん、ここは…？
うむ…
Elena Steiner
Geburtstag 24.Jan.1497
Sterbedatum 7.Mai.1519
巻《ま》きこんでしまったお主《ぬし》らには、伝《つた》えなくてはと思《おも》ってのう…
ワシが錬金術《れんきんじゅつ》に没頭《ぼっとう》したほんとうの理由《りゆう》を……
ここに眠《ねむ》っているのは…かつてワシが愛《あい》した人《ひと》じゃ…
ずっと幸《しあわ》せに暮《く》らしておったが、不運《ふうん》にも、流行病《はやりやまい》に倒《たお》れてしまってのう…
その日《ひ》からワシは錬金術《れんきんじゅつ》に没頭《ぼっとう》し…
禁《きん》じられた研究《けんきゅう》に手《て》を染《そ》め、ついに〝賢者《けんじゃ》の石《いし》〟を手《て》に入《い》れた…
またいっしょに幸《しあわ》せに暮《く》らせる…
そう思《おも》ったが…

流行病《はやりやまい》を治《なお》すことなどできはしなかった…
イタイ…
ツライ…
タス…ケテ…
運命《うんめい》を変《か》えることができるのは神《かみ》のみ!!
錬金術《れんきんじゅつ》は決《けっ》してかなわぬ夢《ゆめ》にすぎなかったのじゃ!
…そのできごとがきっかけで、錬金術《れんきんじゅつ》を封印《ふういん》されたのですね?
そうじゃ…
そのとき、ようやくワシは後悔《こうかい》した…
錬金術《れんきんじゅつ》という名《な》の下《もと》に、この手《て》を汚《よご》してきたことをな…
……

〝賢者《けんじゃ》の石《いし》〟のための生《い》けにえですね…
ザアッ
うむ…
Elena Steiner
Geburtstag 24.Jan.1497
Sterbedatum 7.Mai.1519
ワシが医者《いしゃ》として生《い》きているのは過去《かこ》の過《あやま》ちの償《つぐな》いなのじゃ…
過去《かこ》は消《け》せん…せめてこれからは多《おお》くの人《ひと》の命《いのち》を正《ただ》しい方法《ほうほう》で救《すく》おうとな…
培《つちか》った錬金術《れんきんじゅつ》の知識《ちしき》が大《おお》いに役立《やくだ》ったのは皮肉《ひにく》なことじゃよ…
そうだったのですね…
ワシと同《おな》じ過《あやま》ちを犯《おか》す者《もの》があらわれぬよう、あの資料《しりょう》は残《のこ》すべきではなかった…
じゃが…ワシも科学者《かがくしゃ》の端《はし》くれ…〝自分《じぶん》の研究《けんきゅう》を、名《な》を…後世《こうせい》に残《のこ》したい〟…
そんな気持《きも》ちがジャマをして、どうしても処分《しょぶん》できなかったのじゃ…
……
もっと早《はや》く処分《しょぶん》しておけばこんなことにはならなかったろうに…

パ
まことに後悔《こうかい》してばかりの人生《じんせい》じゃ…
アア
お、お主《ぬし》らそのからだは…!?
アアア
え!?
わわわ、タイムドリフトだ!!
いきなりですわね!
アアア
あ…!! オレ達《たち》、パラケルススさんに…聞《き》きたいことが!
そうでした…とても重要《じゅうよう》なことなのです!!
〝正義《せいぎ》の科学者《かがくしゃ》が知《し》る理《ことわり》〟…!!
それはいったい…
アアア

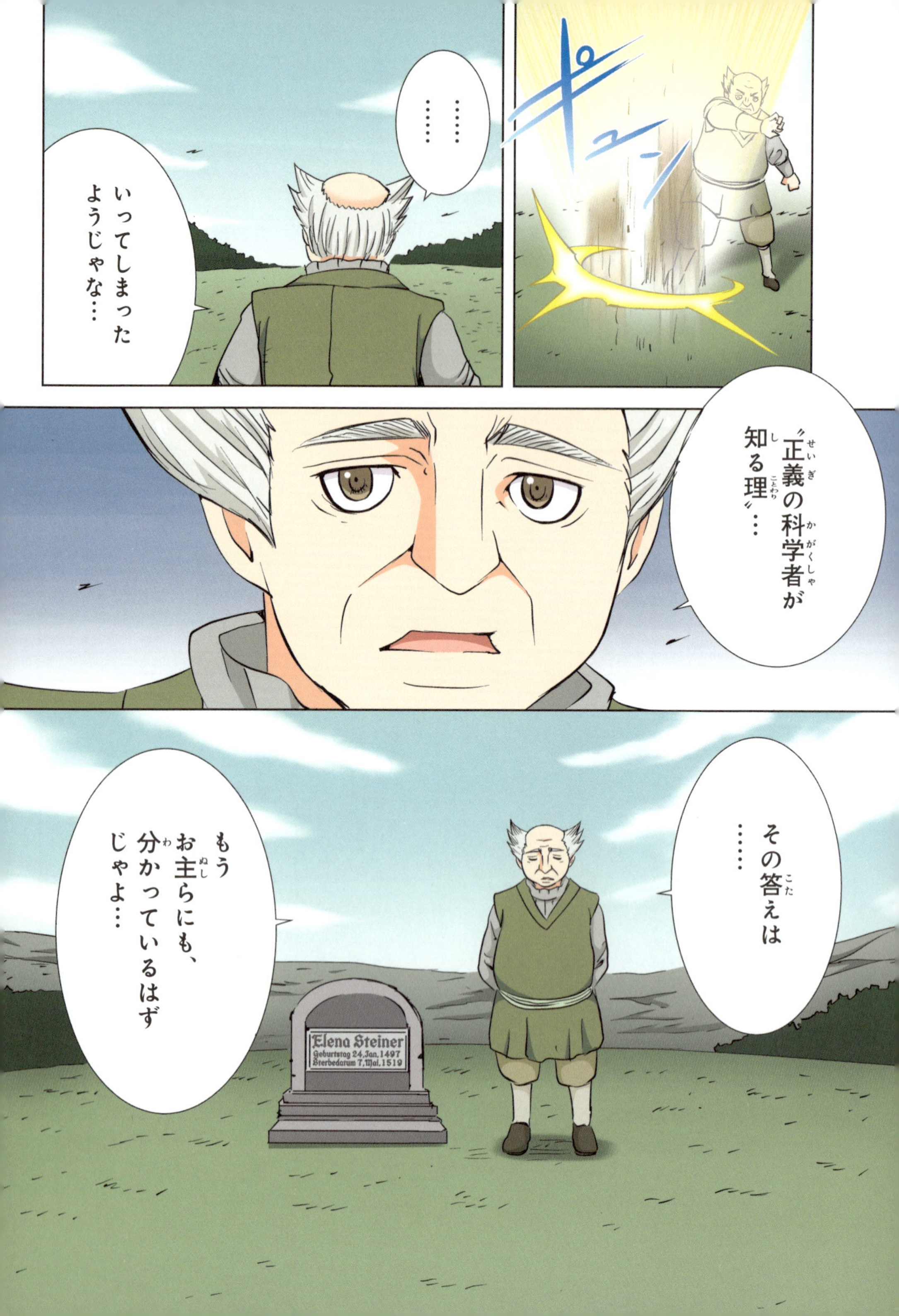

ギュン
…………
いってしまったようじゃな…
〝正義《せいぎ》の科学者《かがくしゃ》が知《し》る理《ことわり》〟…
その答《こた》えは……
もうお主《ぬし》らにも、分《わ》かっているはずじゃよ…
Elena Steiner
Geburtstag 24.Jan.1497
Sterbedatum 7.Mai.1519

錬金術《れんきんじゅつ》のせいで悪《わる》いことばっか起《お》きてるな…
そうとも限《かぎ》らないわ…パラケルススは…彼《かれ》は失敗《しっぱい》から学《まな》んで、正《ただ》しい道《みち》を見《み》つけたんだもの…
失敗《しっぱい》は成功《せいこう》のもとってやつか!
歩美達《あゆみたち》も見習《みなら》わなくちゃ!
パラケルススさんは過《あやま》ちを反省《はんせい》して、人《ひと》を助《たす》ける医者《いしゃ》になった!まさに〝正義《せいぎ》の科学者《かがくしゃ》〟ですよ!
何《なに》が〝正義《せいぎ》〟かは、議論《ぎろん》の余地《よち》があるでしょうけど…彼《かれ》が正《ただ》しくあろうとしたのはたしかでしょうね…
パラケルススさんが、航《わたる》さんと華帆《かほ》さんに言《い》ってただろ?同《おな》じ過《あやま》ちを…
ん?
コナン、どうかしたのか?
ひっかかるんだ…この時代《じだい》で燃《も》え尽《つ》きたはずのパラケルススさんの錬金術《れんきんじゅつ》の資料《しりょう》が…

コナンの推理《すいり》NOTE《ノート》

すべてはここから始《はじ》まった!?
剣《けん》と魔法《まほう》の驚《おどろ》きの物語《ものがたり》!!

科学以上《かがくいじょう》に人《ひと》びとの心《こころ》をとらえて離《はな》さない、魔法《まほう》の世界《せかい》の“原点《げんてん》”！

マンガやアニメ、ゲームや映画《えいが》などで、「アーサー王《おう》」という名前《なまえ》に出合《であ》った記憶《きおく》はないかな？　「アーサー王《おう》」は、古代《こだい》ヨーロッパの時代《じだい》から広《ひろ》く語《かた》りつがれてきた伝説上《でんせつじょう》の人物《じんぶつ》のことだ。ヨーロッパの一地方《いちちほう》で生《う》まれた神話《しんわ》や伝説《でんせつ》が、世界中《せかいじゅう》の空想《くうそう》の物語《ものがたり》＝ファンタジーに影響《えいきょう》をおよぼすようになったのはなぜだろうか？　神話《しんわ》と伝説《でんせつ》の謎《なぞ》に迫《せま》る旅《たび》に出発《しゅっぱつ》しよう！

歴史《れきし》の中《なか》で語《かた》りつがれた物語《ものがたり》は、現代《げんだい》のファンタジー作品《さくひん》に大《おお》きな影響《えいきょう》を与《あた》えているぞ！

アーサー王伝説《おうでんせつ》が生《う》まれたイギリスにあるエクセター大学《だいがく》には、2024年《ねん》に「魔術《まじゅつ》とオカルト科学《かがく》」を専門《せんもん》に勉強《べんきょう》する学科《がっか》ができたんじゃ！

これが「アーサー王伝説《おうでんせつ》」だ！

アーサー王伝説《おうでんせつ》

もとはイギリスの先住民族《せんじゅうみんぞく》ケルト人《じん》に古《ふる》くから伝《つた》わってきた伝説《でんせつ》といわれている。伝説《でんせつ》の王《おう》アーサーが家来《けらい》である“円卓《えんたく》の騎士《きし》”とともに侵略《しんりゃく》してきた敵《てき》を撃退《げきたい》する話《はなし》をはじめ、キリスト教《きょう》でもっとも重要《じゅうよう》なもののひとつとされる“聖杯《せいはい》”を探索《たんさく》する話《はなし》など多数《たすう》の話《はなし》が残《のこ》されている。イギリスで生《う》まれたこの伝説《でんせつ》はいつしか数《かず》かずの物語《ものがたり》と結《むす》びつき、フランスやドイツをへて、世界中《せかいじゅう》に広《ひろ》まっていったんだ。

魔術師《まじゅつし》マーリン

アーサー王伝説《おうでんせつ》の代表的《だいひょうてき》な登場人物《とうじょうじんぶつ》。予知能力《よちのうりょく》をはじめとした数《かず》かずの魔《ま》法《ほう》を身《み》につけた魔術師《まじゅつし》だが、とても徳《とく》が高《たか》く、アーサーが王位《おうい》につくことや国《くに》を治《おさ》めることを助《たす》けたとされている。

聖剣《せいけん》エクスカリバー

アーサー王《おう》が身《み》につけていたといわれる魔《ま》法《ほう》の剣《けん》、それがエクスカリバーだ。石《いし》に刺《さ》さっていたのを王《おう》が引《ひ》き抜《ぬ》いて手《て》に入《い》れた、湖《みずうみ》の精《せい》に与《あた》えられたなどの伝承《でんしょう》があるぞ。

『アーサー王物語《おうものがたり》』は、中世《ちゅうせい》の騎士《きし》が活躍《かつやく》する冒険《ぼうけん》と恋愛《れんあい》の物語《ものがたり》だ！

アーサー王《おう》は伝説《でんせつ》？　それとも実在《じつざい》した？

1000年《ねん》以上《いじょう》の時《とき》を超《こ》え、アーサー王《おう》の真実《しんじつ》に迫《せま》る！

世界中《せかいじゅう》の人《ひと》びとの心《こころ》をとらえて離《はな》さないアーサー王《おう》の物語《ものがたり》だけれど、ほんとうにただの伝説《でんせつ》にすぎないのだろうか？　アーサー王伝説《おうでんせつ》はとても長《なが》い期間《きかん》にわたって、学者達《がくしゃたち》がその真実性《しんじつせい》（ほんとうにいたのかどうか）について議論《ぎろん》してきた。実《じつ》はその議論《ぎろん》は、現在《げんざい》も続《つづ》いているんだ。アーサー王《おう》は実在《じつざい》した人物《じんぶつ》で外敵《がいてき》と戦《たたか》ったケルト人《じん》の指導者《しどうしゃ》だとする説《せつ》。あるいは、アーサー王《おう》はあくまでも創作上《そうさくじょう》の人物《じんぶつ》で、後世《こうせい》のさまざまな人物像《じんぶつぞう》を合体《がったい》させたものだとする説《せつ》。その説《せつ》はさまざまだけれど、存在《そんざい》したと確認《かくにん》できる書物《しょもつ》などは見《み》つかっていないのが現状《げんじょう》だ。

アーサー王《おう》が生《う》まれたのは断崖絶壁《だんがいぜっぺき》の城《しろ》!?

大西洋《たいせいよう》に面《めん》したイギリスの海岸部《かいがんぶ》に、アーサー王《おう》が生《う》まれた場所《ばしょ》と長《なが》く語《かた》りつがれてきた場所《ばしょ》がある。それがティンタジェル城《じょう》だ。城《しろ》は海風《うみかぜ》が強《つよ》く吹《ふ》きつけ、足《あし》がすくむほどの断崖《だんがい》の真上《まうえ》にある。この断崖《だんがい》には、“魔術師《まじゅつし》マーリンの洞窟《どうくつ》”もあるんだ。

北欧神話《ほくおうしんわ》が誕生《たんじょう》した地域《ちいき》には厳《きび》しい自然環境《しぜんかんきょう》が数多《かずおお》い。大氷塊《だいひょうかい》や大洪水《だいこうずい》などの過酷《かこく》な自然環境《しぜんかんきょう》が神話《しんわ》の舞台《ぶたい》となっているのは、その影響《えいきょう》ではないかといわれているぞ。

もうひとつの原点《げんてん》「北欧神話《ほくおうしんわ》」

北欧《ほくおう》（※）で古《ふる》くから伝《つた》えられている神話《しんわ》や英雄《えいゆう》伝説《でんせつ》をまとめたものが、北欧神話《ほくおうしんわ》だ。神話《しんわ》には、オーディンを代表《だいひょう》とするさまざまな神《かみ》がみ、世界《せかい》の中心《ちゅうしん》にあり天地《てんち》を支《ささ》えるとされる大樹《たいじゅ》である世界樹《せかいじゅ》ユグドラシルなど、現在《げんざい》のファンタジー作品《さくひん》のもととなった人物《じんぶつ》やものが登場《とうじょう》する。その数《かず》は、アーサー王伝説《おうでんせつ》に勝《まさ》るとも劣《おと》らないほど多《おお》い。

歴史《れきし》を知《し》れば、ファンタジー作品《さくひん》がもっと面白《おもしろ》くなるぞ！
King Arthur Story

世界樹《せかいじゅ》（ユグドラシル）

世界《せかい》の中心《ちゅうしん》の大樹《たいじゅ》。神《かみ》が住《す》む天上《てんじょう》、人《ひと》が住《す》む地上《ちじょう》、巨人《きょじん》が住《す》む地下《ちか》を貫《つらぬ》くとされた。

ラグナロク

雷神《らいじん》トール
ワルキューレ
ヨルムンガンド
主神《しゅしん》オーディン
フェンリル

“ラグナロク”はもともと“神《かみ》がみの運命《うんめい》”を意味《いみ》する言葉《ことば》で、北欧神話《ほくおうしんわ》では世界《せかい》における終末《しゅうまつ》の日《ひ》をあらわしている。オーディンやトールをはじめとする英雄《えいゆう》や神《かみ》がみは、ワルキューレと呼《よ》ばれる武装《ぶそう》した乙女達《おとめたち》とともに巨大狼《きょだいおおかみ》フェンリルや大蛇《だいじゃ》ヨルムンガンドと戦《たたか》う。この戦《たたか》いでワルキューレは馬《うま》を駆《か》り、戦場《せんじょう》で倒《たお》れた勇士達《ゆうしたち》を次《つぎ》つぎに宮殿《きゅうでん》へ運《はこ》ぶ大活躍《だいかつやく》をするんだ。

※北欧《ほくおう》…ヨーロッパ北部地方《ほくぶちほう》のことを指《さ》し、デンマーク・スウェーデン・ノルウェー・フィンランド・アイスランドの５か国《こく》がある。

コナンの推理《すいり》NOTE《ノート》

“悪《わる》い魔女《まじょ》”はホントにいた？ 迫害《はくがい》された魔女《まじょ》の真実《しんじつ》!!

魔女《まじょ》は怖《こわ》い？　魔女《まじょ》は悪《わる》い？　はたして、その真《しん》の姿《すがた》とは…？

不《ふ》思議《しぎ》な力《ちから》を持《も》つ者《もの》の存在《そんざい》は、人《じん》類《るい》誕生《たんじょう》以来《いらい》信《しん》じられてきたことだった。15世紀《せいき》ごろになると、人《ひと》びとは、何《なに》かうまくいかないことがあれば「魔女《まじょ》のしわざ」だと考《かんが》え、ときには自分《じぶん》の近《ちか》くに住《す》む人《ひと》を「魔女《まじょ》」だと決《き》めつけ、災《わざわ》いのもととして罰《ばっ》しようとすることもあった。童話《どうわ》の中《なか》にあらわれる魔女《まじょ》は、ほとんどの場合《ばあい》「悪《わる》い女《じょ》性《せい》」として描《えが》かれているぞ。

「魔女《まじょ》」には
長《なが》い迫害《はくがい》の歴史《れきし》が
あるんだよ！

魔女《まじょ》って、
怖《こわ》い…
白雪姫

魔女《まじょ》の正体《しょうたい》は「賢《かしこ》い女性《じょせい》」!?

魔女《まじょ》は空《そら》を飛《と》び、自在《じざい》に姿《すがた》を変《か》える…。ヨーロッパでは、そんな魔女像《まじょぞう》が古《ふる》くから根付《ねづ》いていた。12世紀《せいき》ごろからキリスト教会《きょうかい》は、魔女《まじょ》の力《ちから》は悪魔《あくま》を崇拝《すうはい》して手《て》に入《い》れた邪悪《じゃあく》なものだと説《と》いた。そこから、女性《じょせい》は社会《しゃかい》に悪影響《あくえいきょう》をおよぼす存在《そんざい》だという差別的《さべつてき》な考《かんが》えが広《ひろ》がっていくことになった。“魔女《まじょ》”のレッテルを貼《は》られ罪《つみ》に問《と》われた女性《じょせい》は数万人《すうまんにん》にもおよぶといわれている。

〝賢《かしこ》い女性《じょせい》〟とは、
医師《いし》や薬剤師《やくざいし》、
占《うらな》い師《し》などの
仕事《しごと》をしていた
女性《じょせい》のことよ…

病《やまい》を治《なお》す力《ちから》がある者《もの》は病《やまい》を起《お》こす力《ちから》があり、まじないができる者《もの》は呪《のろ》いをかける力《ちから》がある、といった迷信《めいしん》から、人《ひと》びとは“賢《かしこ》い女性《じょせい》＝魔女《まじょ》”としておそれた。

「悪《わる》い魔女《まじょ》」という
イメージは、
女性差別《じょせいさべつ》の歴史《れきし》を
物語《ものがた》っている…

18世紀以降《せいきいこう》、科学《かがく》が発展《はってん》していくに従《したが》って、魔女《まじょ》に対《たい》する考《かんが》えかたは少《すこ》しずつ衰退《すいたい》していったんじゃ。科学《かがく》とは、女性《じょせい》の権利獲得《けんりかくとく》の歴史《れきし》でもあるんじゃな。

FILE. 5 ニュートンの動機《どうき》

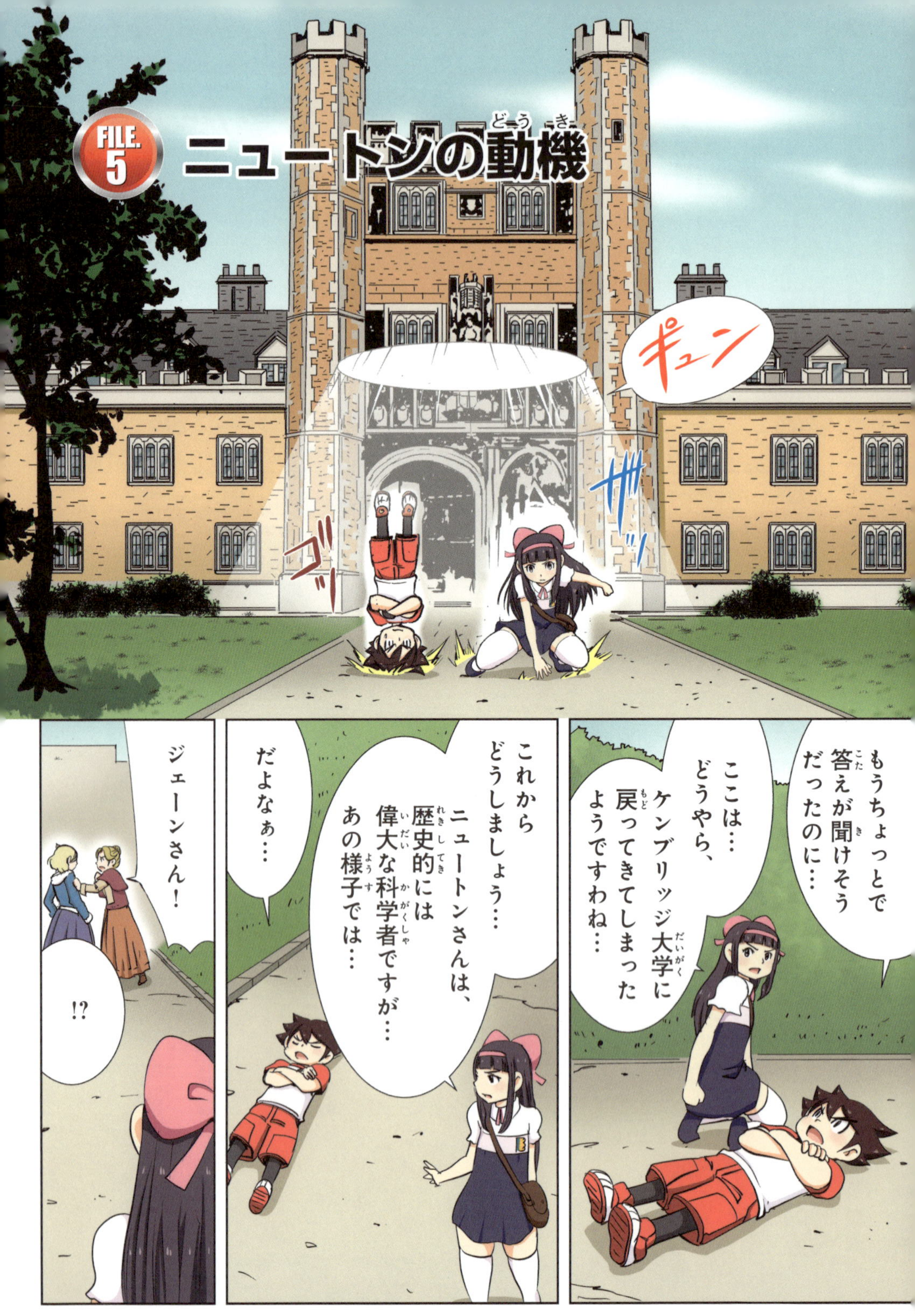

お願《ねが》いです！
何《なん》とか兄《あに》に会《あ》わせてください!!
ダメです！ニュートン先生《せんせい》は研究《けんきゅう》で忙《いそが》しいのです！
母《はは》が危篤《きとく》なんですよ!!
お願《ねが》いですから！
ダメなものはダメです！
そ…
そんな…
だいじょうぶですか？
？
あなた達《たち》は…？
オレは航《わたる》！
私《わたくし》は華帆《かほ》と申《もう》します…
私《わたし》の名前《なまえ》はハナ・スミス…
アイザック・ニュートンの義妹《いもうと》よ！

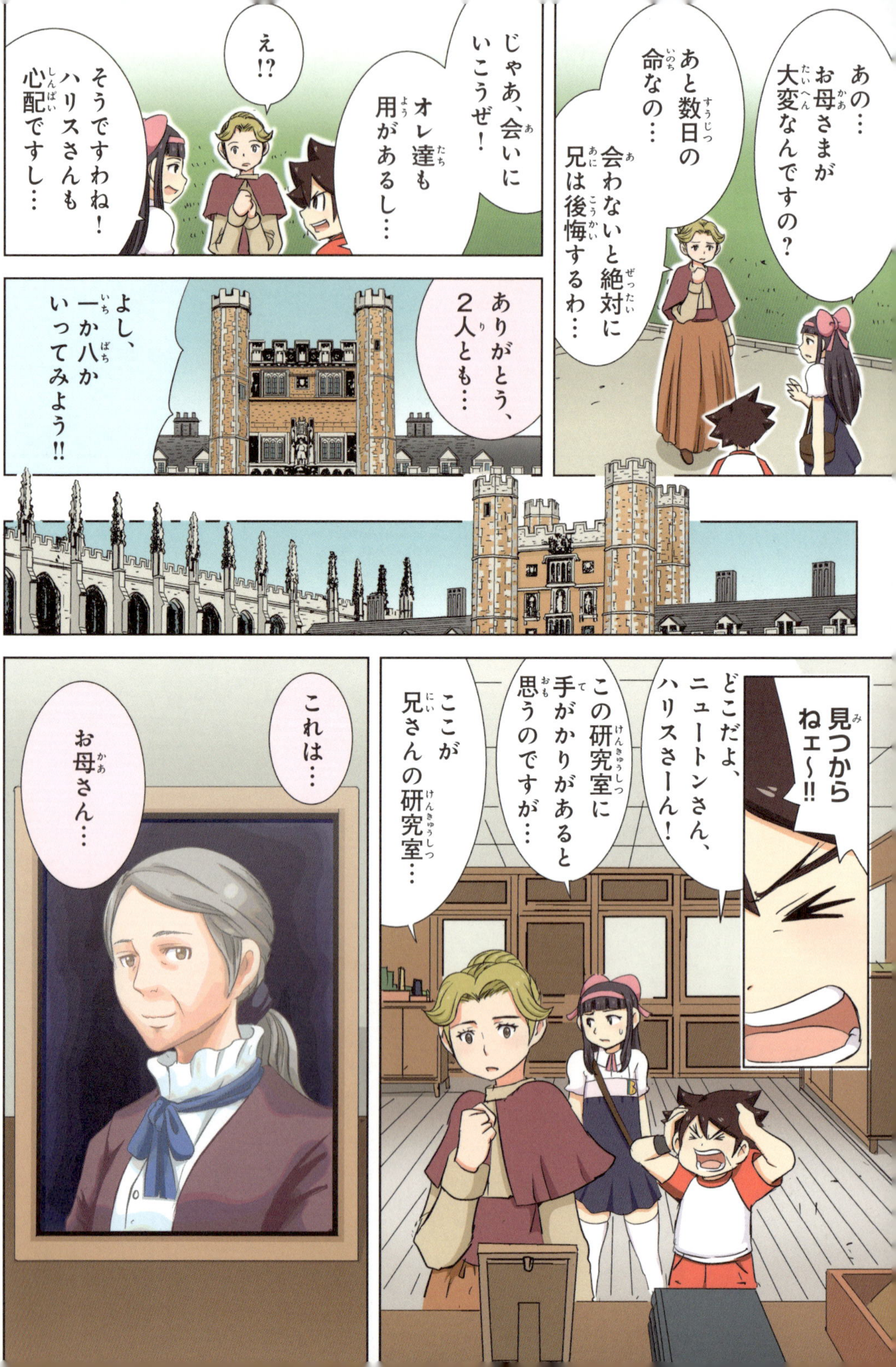
あの…お母《かあ》さまが大変《たいへん》なんですの？
あと数日《すうじつ》の命《いのち》なの…
会《あ》わないと絶対《ぜったい》に兄《あに》は後悔《こうかい》するわ…
じゃあ、会《あ》いにいこうぜ！
オレ達《たち》も用《よう》があるし…
え!?
そうですわね！ハリスさんも心配《しんぱい》ですし…
ありがとう、2人《り》とも…
よし、一《いち》か八《ばち》かいってみよう!!
見《み》つからねェ～!!
どこだよ、ニュートンさん、ハリスさーん！
この研究室《けんきゅうしつ》に手《て》がかりがあると思《おも》うのですが…
ここが兄《にい》さんの研究室《けんきゅうしつ》…
これは…
お母《かあ》さん…

兄《にい》さん…ほんとうにバカなんだから…
ハナさんはニュートンさんの研究《けんきゅう》のことをご存《ぞん》じなんですの？
母《はは》を失《うしな》う現実《げんじつ》を認《みと》めることができないのよ…
流行病《はやりやまい》に倒《たお》れた母《はは》の命《いのち》を救《すく》うために、錬金術《れんきんじゅつ》に没頭《ぼっとう》して…
知《し》らされていたわ…母《はは》のためと…
兄《にい》さんは、人一倍《ひといちばい》母思《ははおも》いだから…
それで〝賢者《けんじゃ》の石《いし》〟を…過去《かこ》の錬金術師《れんきんじゅつし》と同《おな》じ過《あやま》ちを犯《おか》す前《まえ》に止《と》めませんと…
!?
……
スッ
変《へん》ですわ…この本《ほん》だけ…
ほこりが積《つ》もっていませんわ…
ガ
コン
ガーッ
!!
おお、これは……!!

きっとここだ!! いこうぜ!
ええ!
そーーっ
あ…
ハリスさん…!!
よくもジャマをしてくれたな… まあいい… 代《か》わりにキミが生《い》けにえになってもらう…
ニュートン先生《せんせい》、お待《ま》ちを…
生《い》けにえにする前《まえ》に、正体《しょうたい》をあばかないと…
正体《しょうたい》!?
ガッ
そうです!
ぐっ!
ビリッ
こいつの正体《しょうたい》は…

駄犬《だけん》です!!
オオカミ男《おとこ》!?
!?
ハリスさんの正体《しょうたい》が…ウルフ!?
どうしてアイツが…オレ達《たち》を助《たす》けてくれたんだ!?
これはまた貴重《きちょう》な存在《そんざい》だな……
きっと素晴《すば》らしい〝哲学《てつがく》の塩《しお》〟を得《え》られるだろう!
ヂャキッ

御堂君《みどうくん》!!
何《なん》とかしませんと!
よし!
これで…
ガサ
さあ、偉大《いだい》な実験《じっけん》の生《い》けにえに!!
く…っ
ガッ
うわっ!!
いっ、いったい…!?
!!
リ…
リンゴ?
あのリンゴを取《と》っておいてよかったぜ!
バカなマネはやめて!兄《にい》さん!!
お前達《まえたち》…
それに、どうしてハナまで!?

なぜ、ここにきた!?
手紙《てがみ》の返事《へんじ》がないからよ！お願《ねが》いだから家《いえ》に戻《もど》って、お母《かあ》さんにお別《わか》れを…
バカを言《い》うな！
〝賢者《けんじゃ》の石《いし》〟が完成《かんせい》すれば、別《わか》れなどせずにすむんだぞ!!
どうしてそれが分《わ》からない!!
に、兄《にい》さん…
分《わ》かってないのは兄《にい》さんのほうよ!!
お母《かあ》さんは、最後《さいご》にひと目《め》、兄《にい》さんに会《あ》いたいって…!
……!!

ニュートンさん、断言《だんげん》します!
?
錬金術《れんきんじゅつ》のことなど何《なに》も知《し》らぬ素人《しろうと》のくせに!!
バッ
仮《かり》に〝賢者《けんじゃ》の石《いし》〟を手《て》に入《い》れたとしても…決《けっ》してお母《かあ》さまの病気《びょうき》は治《なお》りませんわ!!
な…
何《なに》を言《い》っている!?
私《わたし》は科学者《かがくしゃ》だ!
Paracelsus' Rezept
信頼《しんらい》するこの書物《しょもつ》には、〝賢者《けんじゃ》の石《いし》〟を使《つか》い、不老不死《ふろうふし》のからだを生《う》み出《だ》したと記《しる》されている!
そ…それは!! パラケルススさんの本《ほん》!?
その本《ほん》は、あのとき燃《も》えてしまったはず…どうしてここに!?
怪《あや》しいな…ちょっと、ニュートンさんの気《き》を引《ひ》きつけててくれ!
えっ!? 御堂君《みどうくん》!?
ダッ
…ニュ、ニュートンさん!
ブンブン
…何《なん》だ?
そー

ブンブン
お母《かあ》さまを不老不死《ふろうふし》にして、いったい何《なに》がしたいんですの？
そろ～
何《なに》がしたい…だと？
それは…話《はなし》をしたりたくさん笑《わら》い合《あ》ったり…
それは…ほんとうに〝賢者《けんじゃ》の石《いし》〟がないとできないことだったんですの？
いますぐできることじゃないんですの？
そうよ!!お母《かあ》さんはいま、兄《にい》さんを待《ま》っているのよ!?
いや、違《ちが》う!!母《はは》が不老不死《ふろうふし》になれば…
あっ!!
バッ
Paracelsus' Rezept
貴様《きさま》…返《かえ》せ!!
すぐに返《かえ》すよ！ちょっと見《み》るだけ!!
フワッ
ん？白《しろ》い毛《け》？
それより、え～っと…
あった!!
パラパラ

やっぱり、この本《ほん》は偽物《にせもの》だ！
偽物《にせもの》だと!? 貴様《きさま》に何《なに》が分《わ》かる!?
パラケルススさんに本《ほん》の処分《しょぶん》を頼《たの》まれたとき…
れてしまった
賢者《けんじゃ》の石《いし》を使《つか》えば、私《わたし》の望《のぞ》みはかなうはずだった。しかし、実験《じっけん》は過《あやま》ちだった。彼女《かのじょ》の姿《すがた》を見《み》た 私《わたし》はこの研《けん》 たことを後悔《こうかい》
中身《なかみ》をのぞいたこの本《ほん》には〝実験《じっけん》は過《あやま》ちだった〟…そう書《か》いてあった！
あの人《ひと》は研究《けんきゅう》を後悔《こうかい》していたんだ！
病《まい》で倒《たお》れてしま エレナを完全《かんぜん》な存《そん》在《ざい》として取《と》り戻《もど》すために、私《わたし》はあらゆることをした。そして、ついに賢者《けんじゃ》の石《いし》をつくりだした。
賢者《けんじゃ》の石《いし》を使《つか》えば、私《わたし》の望《のぞ》みがかなう。そして、実験《じっけん》は成功《せいこう》！不老不死《ふろうふし》のからだを生《う》み出《だ》したのである！これはまちがいなく歴史的大発見《れきしてきだいはっけん》だ！
でも、ここに書《か》かれているのはそれとは真逆《まぎゃく》のことだ!!
パラケルススに本《ほん》の処分《しょぶん》を…？後悔《こうかい》…？
パラケルススを知《し》っているような口《くち》ぶりだが…
パラケルススが生《い》きていたのは、100年《ねん》以上前《いじょうまえ》だ、だまされんぞ！
それは…
ニュートンさん、聞《き》いてください!!
この本《ほん》は、パラケルススさんが生《い》きていた時代《じだい》に燃《も》えたはずなんです！
そんなはずはない！本《ほん》は現《げん》に、ここにあるじゃないか!!
ジェーンが見《み》つけたものだ！
え…

そ、そうよ…寂《さび》れた屋敷《やしき》で偶然《ぐうぜん》見《み》つけて…
ウソつけ!! これは偽物《にせもの》だ!
?
ヴーーッ
コナン君《くん》からですわ…
えっと…
偽物《にせもの》の本《ほん》のことをつきとめるために、2人《り》にたしかめてほしいことがあるんだ!
これをたしかめればいいんですのね!
ん? どうしたんだ、華帆《かほ》…
Paracelsus' Rezept
コナン君《くん》から連絡《れんらく》があって…
ふむふむ… この本《ほん》と…
よっしゃ、分《わ》かったぜ!
やっぱり、コナン君《くん》のにらんだとおりでしたわ!!

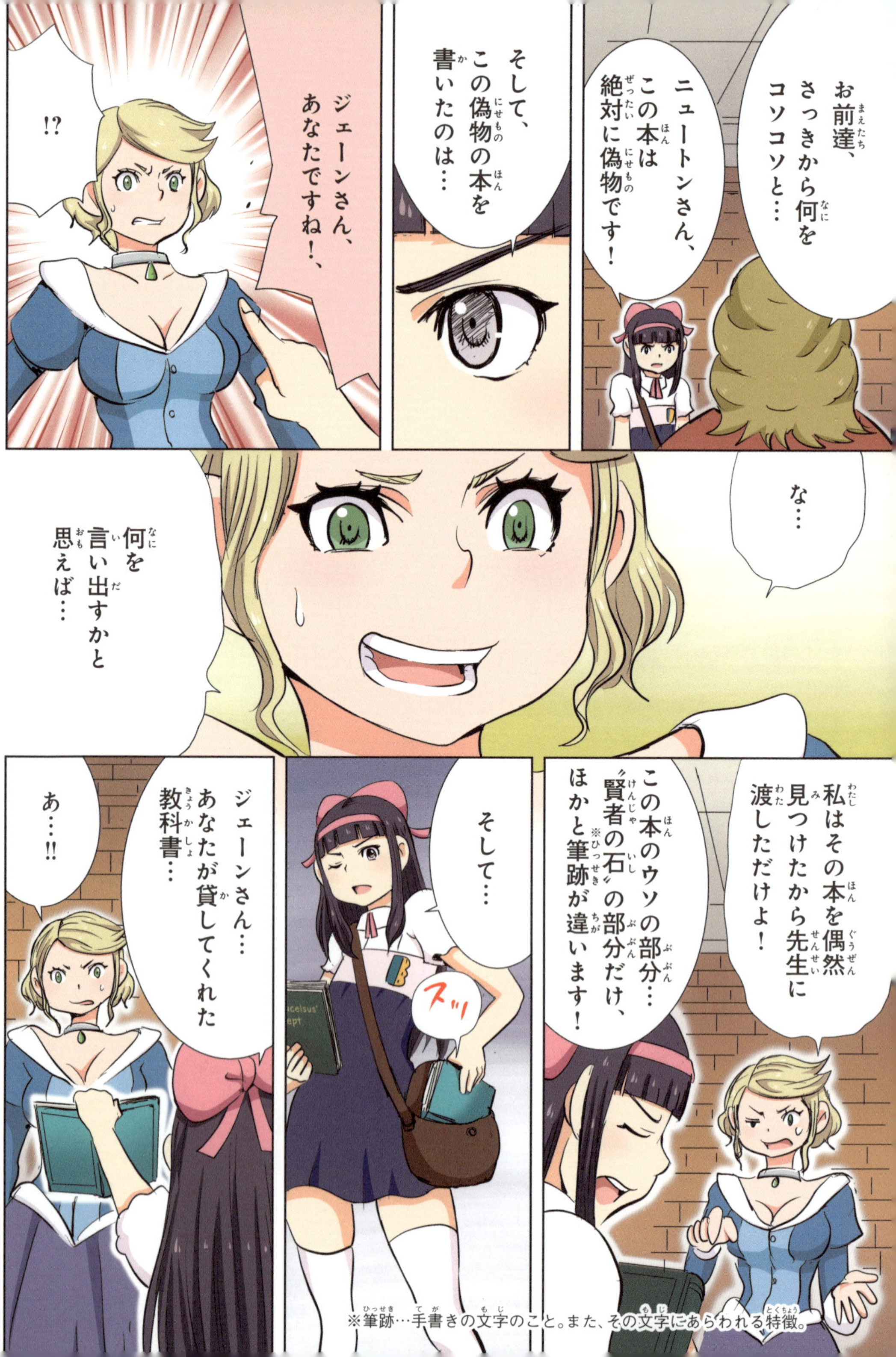

※筆跡《ひっせき》…手書《てが》きの文字《もじ》のこと。また、その文字《もじ》にあらわれる特徴《とくちょう》。

これに書《か》かれた文字《もじ》と偽物《にせもの》の錬金術《れんきんじゅつ》の本《ほん》…文字《もじ》がそっくりですわ！
病で倒れてしまった エレナを完全な存在として取り戻すために、私はあらゆることをした。そして、ついに賢者の石をつくりだした。
の石を使えば、私の望みがかなう。そして、実験は成功！不老不死のからだを生み出したのである！これはまちがいなく歴史的大発見だ！
プリズムの応用に
考えをまとめよ。
ニュートン先生の大発見！は、難しい話だけど、プリズムってキラキラしていてきれいだな！
リズム実験
欲望に身をまかせるな 正義の科学者が知る理をあらわせ！ X
う…
ジェーン…どういうことなんだ？
あ～え～…それは…
その理由《りゆう》も分《わ》かってるぜ…
ガッ
お前《まえ》の正体《しょうたい》は…
バシャッ
!!
ぎゃああ！

水《みず》～!!
水《みず》はキライだニャ～!!
な、何《なに》!?
今度《こんど》は化《ば》け猫《ねこ》だと!?

やっぱりお前《まえ》か、キャラット！
コナン君《くん》の言《い》ったとおりですわ！
く…どうしてバレたニャ…
パラケルススさんの本《ほん》は、あのときたしかに燃《も》えつきた…
この本《ほん》を〝復元《ふくげん》〟できるのは、時空《じくう》を自由自在《じゆうじざい》にタイムドリフトできる存在《そんざい》だけなのです！
パラケルススさんが、もう一度《いちど》書《か》き直《なお》すはずはないのですから…
タ…タイムドリフト？いったい何《なん》の話《はなし》なの？
にわかには…
信《しん》じがたい話《はなし》ばかりだが、もし彼《かれ》らの話《はなし》が真実《しんじつ》ならば…
その本《ほん》は、やはり…
偽物《にせもの》ということなのか!?

そいつらの話《はなし》は全部《ぜんぶ》デタラメだニャ！
私《わたし》が書《か》いたんじゃないニャ〜!!
とぼけてんじゃねぇよ！
フワッ
その本《ほん》を開《ひら》いたとき、出《で》てきたぜ！白《しろ》い猫《ねこ》の毛《け》が!!
く〜〜〜っ、ツメが甘《あま》かったニャ！
おい！
てめぇ…
よくもふざけたマネを…

それはこっちのセリフだニャ!
何《なに》!?
変《へん》なヤツに操《あやつ》られちゃって情《なさ》けないニャ!!
何《なん》だと!?
アンタに代《か》わって時間冒険者《ソイツら》を困《こま》らせるために小細工《こざいく》したのに…
でも、ここまでバレたのなら…
最終手段《さいしゅうしゅだん》ニャ!!
最終手段《さいしゅうしゅだん》…?
いったい何《なに》をするつもりですの!?

コナンの推理《すいり》NOTE《ノート》

人類《じんるい》の歴史《れきし》と世界《せかい》を変《か》えた科学《かがく》の大発見《だいはっけん》!!

人《ひと》びとによる数《かず》かずの科学的大発見《かがくてきだいはっけん》が、歴史《れきし》を大《おお》きく動《うご》かしてきた！

便《べん》利《り》な機械《きかい》や電化製品《でんかせいひん》を使《つか》えるのは、科学技術《かがくぎじゅつ》の発展《はってん》のおかげだ。科学《かがく》とは発見《はっけん》の歴史《れきし》。その発見《はっけん》をもたらす原動力《げんどうりょく》とはいったい何《なん》だろうか？それは、発見《はっけん》の〝喜《よろこ》び〟なんだ。ひとつの発見《はっけん》の〝喜《よろこ》び〟が次《つぎ》の発見《はっけん》をもたらし、その発見《はっけん》の〝喜《よろこ》び〟がまたその次《つぎ》の発見《はっけん》をもたらす。現在《げんざい》にいたるまで、〝喜《よろこ》び〟の連鎖《れんさ》とともに科学《かがく》は発見《はっけん》をくり返《かえ》してきたんだよ。

「発見《はっけん》」の喜《よろこ》びが次《つぎ》の「発見《はっけん》」を生《う》み、人《ひと》びとの暮《く》らしを豊《ゆた》かにしてきたぞ！

エウレカ！
（見《み》つけた！）

科学《かがく》の歴史《れきし》を動《うご》かした「発見《はっけん》」の喜《よろこ》び！

古代《こだい》ギリシアの科学者《かがくしゃ》・アルキメデスは、浴槽《よくそう》に自分《じぶん》のからだを沈《しず》めた際《さい》にお湯《ゆ》があふれ出《で》る現象《げんしょう》を見《み》て、からだの大《おお》きな人《ひと》はあふれ出《で》るお湯《ゆ》の量《りょう》が多《おお》いが、小《ちい》さな子《こ》どもは少《すく》ないことに気《き》づいた。また、“流《なが》れ出《で》たお湯《ゆ》の分《ぶん》だけ、からだや物《もの》が軽《かる》くなる”という現象《げんしょう》にも気《き》づいた彼《かれ》は、“アルキメデスの原理《げんり》”と呼《よ》ばれる科学的大発見《かがくてきだいはっけん》を果《は》たした。喜《よろこ》びのあまり裸《はだか》のまま飛《と》び出《だ》し、古代《こだい》ギリシア語《ご》で「見《み》つけた」を意味《いみ》する「エウレカ！」と叫《さけ》んだそうだよ。

※GPS《ジーピーエス》…Global《グローバル》 Positioning《ポジショニング》 System《システム》の略《りゃく》。日本語《にほんご》では「全地球測位《ぜんちきゅうそくい》システム」といって、地球上《ちきゅうじょう》で現在《げんざい》の時刻《じこく》や自分《じぶん》の位置情報《いちじょうほう》を特定《とくてい》できるしくみ。

スマホの中《なか》にも最先端《さいせんたん》科学《かがく》がある！

スマホには
科学《かがく》の力《ちから》が
詰《つ》まって
いるぞ！

おとなの手《て》のひらサイズほどの小《ちい》さなスマートフォン＝スマホの中《なか》には、数千《すうせん》ともいう驚《おどろ》くべき数《かず》の部品《ぶひん》が詰《つ》まっている。それらの部品《ぶひん》のひとつひとつは“技術《ぎじゅつ》の結晶《けっしょう》”ともいわれ、相対《そうたい》性理論《せいりろん》や量子力学《りょうしりきがく》などの最先端《さいせんたん》の科学理論《かがくりろん》にもとづいてつくられたものもあるんだ。

相対性理論《そうたいせいりろん》

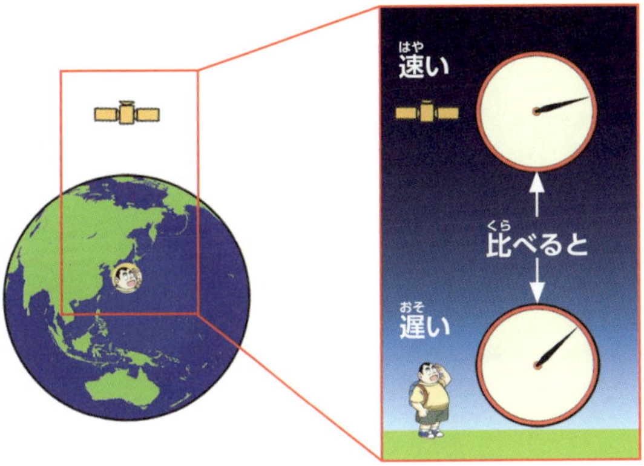
速《はや》い
比《くら》べると
遅《おそ》い

位置情報《いちじょうほう》を確認《かくにん》するGPS《ジーピーエス》に応用《おうよう》されている！

ほとんどのスマホに入《はい》っている地図《ちず》アプリには、GPS《ジーピーエス》（※）というしくみが使《つか》われている。ドイツの物理学者《ぶつりがくしゃ》アインシュタインが確立《かくりつ》した相対性理論《そうたいせいりろん》にもとづく技術《ぎじゅつ》を応用《おうよう》しているんだ。地球上《ちきゅうじょう》と宇宙《うちゅう》空間《くうかん》では重力《じゅうりょく》の強《つよ》さが異《こと》なり、重力《じゅうりょく》の大《おお》きな地球上《ちきゅうじょう》では時間《じかん》が遅《おそ》く進《すす》み、重力《じゅうりょく》の小《ちい》さな宇宙空間《うちゅうくうかん》では時間《じかん》が速《はや》く進《すす》む。この時間《じかん》のズレを正《ただ》す GPS《ジーピーエス》 機能《きのう》のおかげで自分《じぶん》がいる場所《ばしょ》が正確《せいかく》に分《わ》かるんだ。

量子力学《りょうしりきがく》

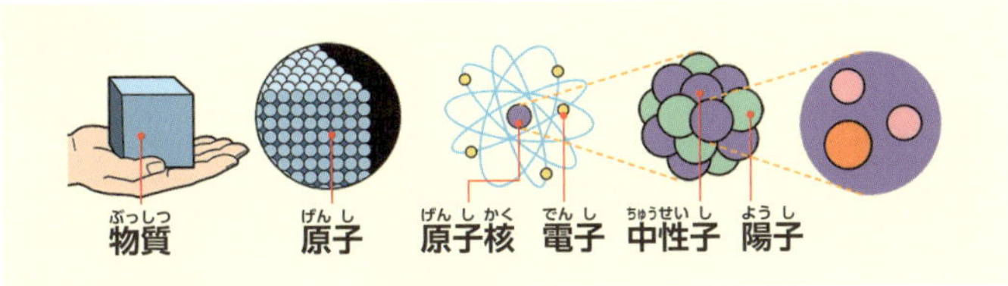
物質《ぶっしつ》
原子《げんし》
原子核《げんしかく》
電子《でんし》
中性子《ちゅうせいし》
陽子《ようし》

スマホを動《うご》かす半導体《はんどうたい》（※）に応用《おうよう》されている！

すべてのもの＝物質《ぶっしつ》は、原子《げんし》と呼《よ》ばれるものによって形《かたち》づくられている。原子《げんし》は、原子核《げんしかく》と１個《こ》または複数《ふくすう》の電子《でんし》からできていて、その大《おお》きさは約《やく》１億分《おくぶん》の１cm《センチメートル》。さらに原子核《げんしかく》を形《かたち》づくっている中《ちゅう》性子《せいし》、陽子《ようし》などの素粒子《そりゅうし》も、もちろん肉眼《にくがん》では観察《かんさつ》できないほど小《ちい》さい。そんなミクロの世界《せかい》の物《ぶつ》理現象《りげんしょう》を取《と》り扱《あつか》う学問《がくもん》が量子力学《りょうしりきがく》だ。スマホやパソコン、太陽光《たいようこう》パネルなどを動《うご》かす要《かなめ》となる半導《はんどう》体《たい》という部品《ぶひん》は、この量子力学《りょうしりきがく》にもとづいてつくりだされるものなんだ。量子力学《りょうしりきがく》は、これからの科学技術《かがくぎじゅつ》の進歩《しんぽ》に欠《か》かせない重要《じゅうよう》な役割《やくわり》を果《は》たしている。けれど、まだまだ科学者《かがくしゃ》にとっても難解《なんかい》で、未解決《みかいけつ》の謎《なぞ》めいた問題《もんだい》を抱《かか》えている学問《がくもん》でもあるんだ。

アルバート・アインシュタイン（1879～1955年《ねん》）は、相対性理論《そうたいせいりろん》の確立《かくりつ》により1921年《ねん》にノーベル物理学賞《ぶつりがくしょう》を受賞《じゅしょう》しているんじゃ。

※半導体《はんどうたい》…電気《でんき》の流《なが》れを操《あやつ》ることができる特別《とくべつ》な性質《せいしつ》を持《も》った部品《ぶひん》。

宇宙《うちゅう》が生《う》まれた謎《なぞ》に迫《せま》る！

ビッグバン理論《りろん》

アインシュタインの「相対性理論《そうたいせいりろん》」によって、徐々《じょじょ》に宇宙《うちゅう》の謎《なぞ》が解《と》き明《あ》かされ、宇宙《うちゅう》の姿《すがた》が明《あき》らかになった。相対性理論《そうたいせいりろん》によれば、宇宙《うちゅう》は、いまから約《やく》138億年前《おくねんまえ》に起《お》こった「ビッグバン」と呼《よ》ばれる大爆発《だいばくはつ》によって始《はじ》まったとされている。

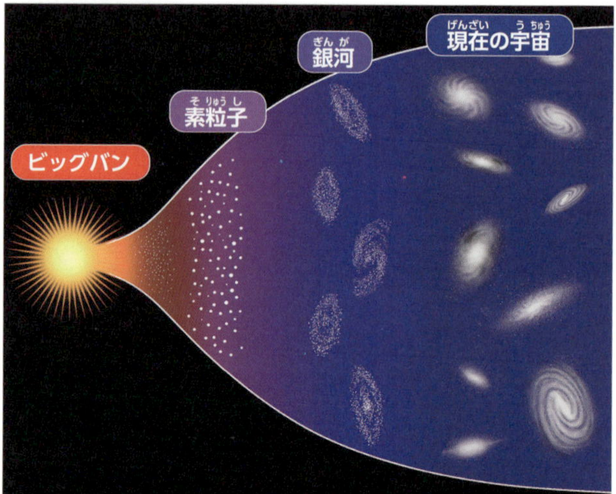

1940年代《ねんだい》にロシア生《う》まれのアメリカの物理学者《ぶつりがくしゃ》・ジョージ・ガモフらによって提唱《ていしょう》された。火《ひ》の玉宇宙論《たまうちゅうろん》とも呼《よ》ばれ、現在広《げんざいひろ》く受《う》け入《い》れられている。

生命《せいめい》の不思議《ふしぎ》を解《と》き明《あ》かす！

DNA《ディーエヌエー》

生物《せいぶつ》の形《かたち》や成《な》り立《た》ちは、親《おや》から子《こ》へ、そして子《こ》から孫《まご》へと脈々《みゃくみゃく》と受《う》けつがれるけれど、これは遺伝子《いでんし》と呼《よ》ばれるDNA《ディーエヌエー》によるものなんだ。DNA《ディーエヌエー》は、いわばからだの設計図《せっけいず》。DNA《ディーエヌエー》の研究《けんきゅう》はまだまだ始《はじ》まったばかりといってもいい。90%《パーセント》以上《いじょう》はまだ謎《なぞ》とされているその研究《けんきゅう》がこれから進《すす》んでいけば、びっくりするような生物《せいぶつ》の謎《なぞ》が解《と》き明《あ》かされるかもしれないね。

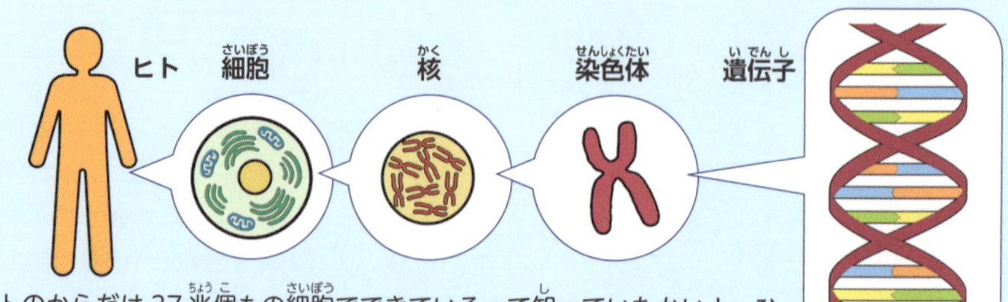

ヒトのからだは37兆個《ちょうこ》もの細胞《さいぼう》でできているって知《し》っていたかい！　ひとつひとつの細胞《さいぼう》の中心《ちゅうしん》には“核《かく》”があって、その核《かく》の中《なか》に“染色体《せんしょくたい》”がある。この染色体《せんしょくたい》に、遺伝子《いでんし》の情報《じょうほう》＝DNA《ディーエヌエー》が、らせん状《じょう》におさめられているよ。

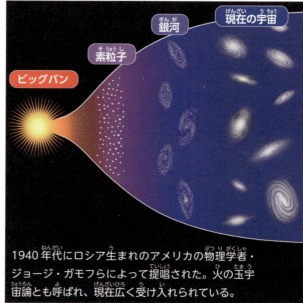

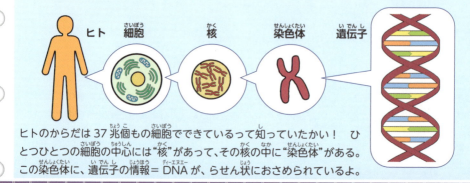

1901年《ねん》から始《はじ》まったノーベル賞授与式《しょうじゅよしき》。その記念《きねん》すべき第《だい》1回《かい》の物理学賞受賞者《ぶつりがくしょうじゅしょうしゃ》が、エックス線《せん》を発見《はっけん》したレントゲンだったんじゃよ。

人《ひと》びとの命《いのち》を救《すく》う科学《かがく》の力《ちから》

エックス（X《エックス》）線《せん》

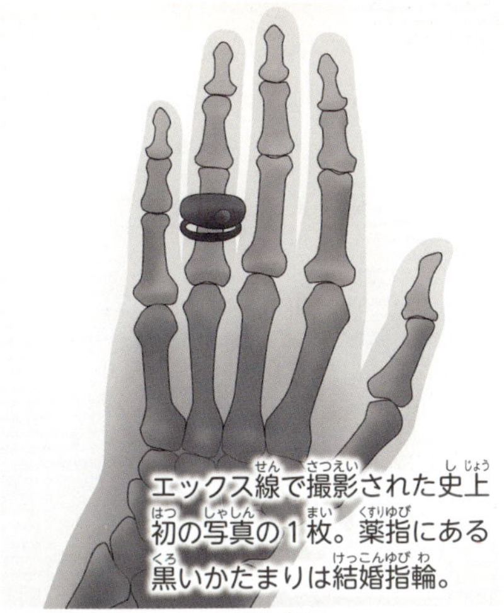

エックス線《せん》で撮影《さつえい》された史上《しじょう》初《はつ》の写真《しゃしん》の１枚《まい》。薬指《くすりゆび》にある黒《くろ》いかたまりは結婚指輪《けっこんゆびわ》。

1895年《ねん》、ドイツの物理学者《ぶつりがくしゃ》ヴィルヘルム・レントゲンは未知《みち》の放射線《ほうしゃせん》を発見《はっけん》した。発見《はっけん》の記念《きねん》に妻《つま》の右手《みぎて》を撮影《さつえい》したのが上《うえ》のイラストだ。彼《かれ》は、未知《みち》の放射線《ほうしゃせん》の意味《いみ》でエックス線《せん》と命名《めいめい》したよ。いまでは医療《いりょう》の現場《げんば》で幅広《はばひろ》く活用《かつよう》され、人《ひと》びとの命《いのち》を救《すく》っているんだ。

ワクチン

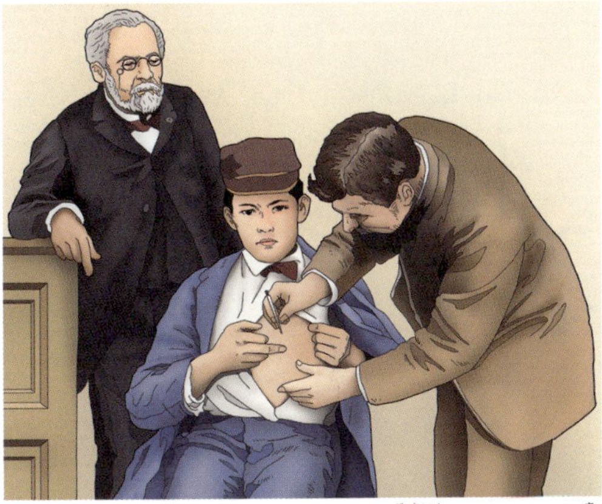

ワクチンって知《し》っているかい？　病院《びょういん》などでよく聞《き》く名前《なまえ》だけれど、感染症《かんせんしょう》の予防《よぼう》に使《つか》われるもののひとつなんだ。世界最古《せかいさいこ》のワクチンは、1700年代末《ねんだいまつ》にイギリスの医学者《いがくしゃ》、エドワード・ジェンナーがつくった天然痘《てんねんとう》（※）のワクチン。19世紀《せいき》にフランスの化学者《かがくしゃ》・細菌学者《さいきんがくしゃ》のルイ・パスツールは、このワクチンによる治療法《ちりょうほう》をさらに発展《はってん》させたんだ。上《うえ》のイラストで、患者《かんじゃ》にワクチンを接種《せっしゅ》する助手《じょしゅ》を見守《みまも》っているのがパスツールだよ。

科学《かがく》はどんどん進《すす》んでいるんだね！
世《よ》の中《なか》の不思議《ふしぎ》に気《き》づくことが、発見《はっけん》への第一歩《だいいっぽ》だ！

※天然痘《てんねんとう》…人類史上《じんるいしじょう》、ワクチンによって唯一《ゆいいつ》、撲滅《ぼくめつ》することができたウイルス感染症《かんせんしょう》。

コナンの推理《すいり》NOTE《ノート》

未来《みらい》の科学《かがく》を先取《さきど》りしたSF《エスエフ》の想像力《そうぞうりょく》!!

先祖達《せんぞたち》が空想《くうそう》したものや、世界《せかい》を、人類《じんるい》は科学《かがく》の力《ちから》で実現《じつげん》してきた！

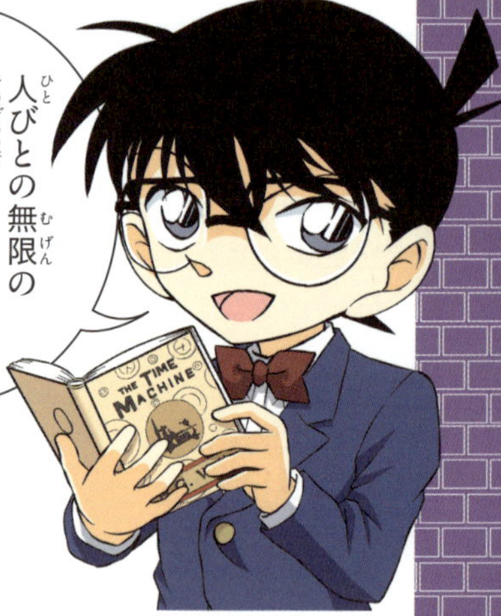
人《ひと》びとの無限《むげん》の想像力《そうぞうりょく》が、科学技術発展《かがくぎじゅつはってん》の原動力《げんどうりょく》になった！
THE TIME MACHINE

人《じん》類《るい》は誕生《たんじょう》したときから未来《みらい》を空《くう》想《そう》し、想像《そうぞう》し、創造《そうぞう》してきた。その集大成《しゅうたいせい》といえる小説《しょうせつ》ジャンルが19世紀《せいき》に誕生《たんじょう》したサイエンス・フィクション＝ＳＦ《エスエフ》だ。空飛《そらと》ぶクルマ、宇宙《うちゅう》旅行《りょこう》、携帯電話《けいたいでんわ》、家事《かじ》ロボット――。人類《じんるい》は、ＳＦ《エスエフ》に登場《とうじょう》したものや技術《ぎじゅつ》のほとんどを科学《かがく》の力《ちから》でかなえてきたんだ。つまりＳＦ《エスエフ》は、未来《みらい》で実現《じつげん》しているかもしれない科学技術《かがくぎじゅつ》を先取《さきど》りしたものなんだ！

ワシの発明品《はつめいひん》も、科学《かがく》と想像力《そうぞうりょく》の賜物《たまもの》じゃぞ！

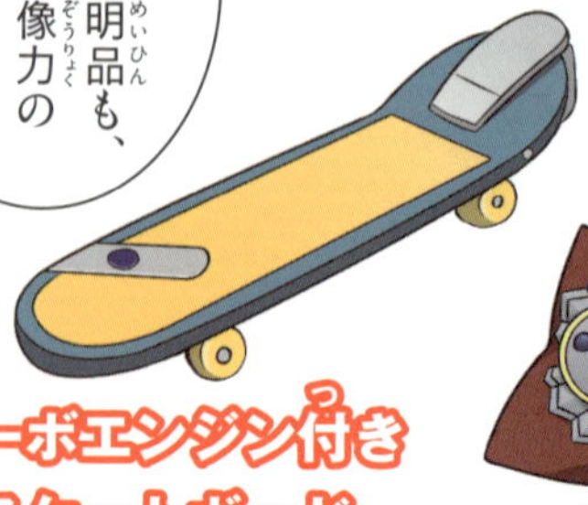
ターボエンジン付《つ》きスケートボード

蝶《ちょう》ネクタイ型《がた》変声機《へんせいき》

SF《エスエフ》小説《しょうせつ》が誕生《たんじょう》した19世紀《せいき》に、時《とき》を同《おな》じくして日本初《にっぽんはつ》のSF《エスエフ》も誕生《たんじょう》しておったんじゃ。SF《エスエフ》は、日本《にっぽん》では空想科学小説《くうそうかがくしょうせつ》ともいわれておるぞ！

人間《にんげん》の想像力《そうぞうりょく》に限界《げんかい》はない！

宇宙旅行《うちゅうりょこう》の扉《とびら》を開《ひら》いた『月世界旅行《げっせかいりょこう》』

1865年《ねん》に発表《はっぴょう》されたジュール・ベルヌのSF《エスエフ》。人《ひと》を月《つき》に送《おく》るために巨大《きょだい》な砲弾《ほうだん》をつくり、発射《はっしゃ》した様子《ようす》を描《えが》いている。H《エイチ》・G《ジー》・ウェルズの『月世界最初《げっせかいさいしょ》の人間《にんげん》』と合《あ》わせて、世界初《せかいはつ》のSF《エスエフ》映画《えいが》「月世界旅行《げっせかいりょこう》」の元《もと》ネタになった。

人間《にんげん》が想像《そうぞう》できることは、
人間《にんげん》が必《かなら》ず実現《じつげん》できる。

ジュール・ベルヌ

H《エイチ》・G《ジー》・ウェルズと並《なら》びSF《エスエフ》ジャンルの創始者《そうししゃ》とされるフランスの作家《さっか》。『月世界旅行《げっせかいりょこう》』のほか、『海底二万里《かいていにまんり》』も有名《ゆうめい》。

世界初《せかいはつ》の時間旅行物語《じかんりょこうものがたり》『タイム・マシン』

1895年《ねん》に発表《はっぴょう》されたH《エイチ》・G《ジー》・ウェルズのデビュー作《さく》。主人公《しゅじんこう》は、タイムマシンで訪《おとず》れた未来《みらい》で、人類《じんるい》の進化《しんか》と悲惨《ひさん》な世界《せかい》を目《ま》の当《あ》たりにする。未来《みらい》の人種問題《じんしゅもんだい》にも踏《ふ》みこんだこの作品《さくひん》は、発表直後《はっぴょうちょくご》から大反響《だいはんきょう》を呼《よ》んだ。

やがて人類《じんるい》は、
私《わたし》たちの大胆《だいたん》な空想以上《くうそういじょう》の
ものを実現《じつげん》するだろう。

H《エイチ》・G《ジー》・ウェルズ

SF《エスエフ》の生《う》みの親《おや》とされるイギリスの作家《さっか》。『タイム・マシン』で大成功《だいせいこう》し、その後《ご》も50を超《こ》える作品《さくひん》を生《う》み出《だ》した。

次《つぎ》つぎと実現《じつげん》される19世紀《せいき》の「未来《みらい》」

お掃除《そうじ》ロボット

19世紀《せいき》の人《ひと》びとが想像《そうぞう》した“自動床《じどうゆか》ふき機《き》”は、人《ひと》が引《ひ》っ張《ぱ》る必要《ひつよう》があった。現代《げんだい》のお掃除《そうじ》ロボットは、ボタンひとつでおまかせだ。

ドローン配達《はいたつ》

現代《げんだい》では小型《こがた》ドローン（無人航空機《むじんこうくうき》）が荷物《にもつ》を運《はこ》ぶけれど、左《ひだり》の“空飛《そらと》ぶ郵便配達人《ゆうびんはいたつにん》”にも会《あ》ってみたかったね。

ビデオ通話《つうわ》

映写機《えいしゃき》と電話機《でんわき》を組《く》み合《あ》わせてつくられたような19世紀《せいき》の“ビデオ通話《つうわ》”想像図《そうぞうず》。いまなら、スマホ片手《かたて》に、顔《かお》を見《み》ながら会話《かいわ》できるね。

人類《じんるい》の未来《みらい》は明《あか》るいだけじゃない!?

1949年《ねん》に発表《はっぴょう》されたイギリスの作家《さっか》ジョージ・オーウェルによる小説《しょうせつ》『一九八四年《せんきゅうひゃくはちじゅうよねん》』は、西暦《せいれき》1984年《ねん》に最悪《さいあく》の未来《みらい》を迎《むか》えた世界《せかい》を描《えが》いた作品《さくひん》だ。人《ひと》びとの行動《こうどう》はすべて監視《かんし》され、自分《じぶん》の考《かんが》えを持《も》つことすら許《ゆる》されない。科学技術《かがくぎじゅつ》の粋《すい》を集《あつ》めた未来《みらい》だけど、その使《つか》いかたしだいで明《あか》るくも暗《くら》くもなる。明《あか》るい未来《みらい》のためには、科学技術《かがくぎじゅつ》を扱《あつか》うひとりひとりの意識《いしき》が大切《たいせつ》だよ。

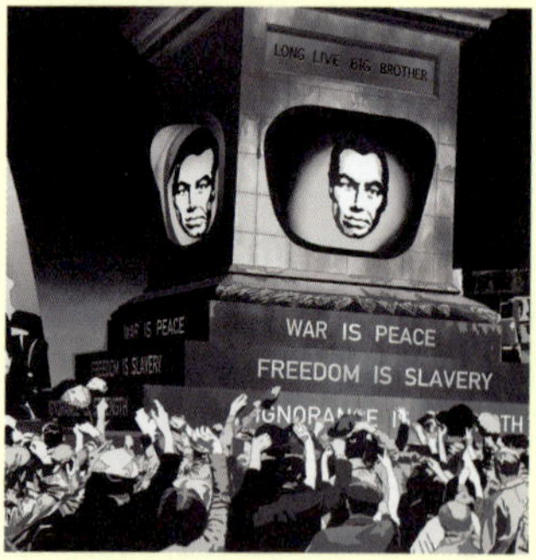

「テレビスクリーン」によって、すべてが監視《かんし》されている世界《せかい》。

未来《みらい》を予言《よげん》した!? 「2001年宇宙《ねんうちゅう》の旅《たび》」

JAXA《ジャクサ》（宇宙航空研究開発機構《うちゅうこうくうけんきゅうかいはつきこう》）は、2030年代《ねんだい》には月《つき》に滞在《たいざい》してエネルギーや食糧《しょくりょう》の生産実験《せいさんじっけん》に取《と》り組《く》もうとしているんじゃよ！

「2001年宇宙《ねんうちゅう》の旅《たび》」

1968年《ねん》、アポロ11号《ごう》は月《つき》に向《む》かって飛《と》び立《た》った。その前年《ぜんねん》に公開《こうかい》されたSF《エスエフ》映画《えいが》が「2001年宇宙《ねんうちゅう》の旅《たび》」だ。人類《じんるい》がどう進化《しんか》していくのか、人類《じんるい》と人工知能《じんこうちのう》（AI《エーアイ》）はどうかかわり合《あ》っていくのか――。監督《かんとく》のスタンリー・キューブリックと脚本家《きゃくほんか》のアーサー・C《シー》・クラークの2人《り》は、豊富《ほうふ》な科学的知識《かがくてきちしき》を存分《ぞんぶん》に発揮《はっき》して、リアルな近未来世界《きんみらいせかい》を描《えが》いた。この映画《えいが》は、実際《じっさい》の2001年《ねん》の約半世紀《やくはんせいき》前《まえ》にその未来《みらい》を正確《せいかく》に予言《よげん》したと世界中《せかいじゅう》で話題《わだい》を呼《よ》んだんだ。映画《えいが》に登場《とうじょう》し、その後実現《ごじつげん》された技術《ぎじゅつ》は下《した》のようにたくさんあるよ。

十分《じゅうぶん》に発達《はったつ》した科学技術《かがくぎじゅつ》は、魔法《まほう》と見分《みわ》けがつかない。

◉実現《じつげん》された技術《ぎじゅつ》

宇宙《うちゅう》ステーション
テレビ電話《でんわ》
人工知能《じんこうちのう》（AI《エーアイ》）
音声認識《おんせいにんしき》プログラム
など

アーサー・C《シー》・クラーク

イギリス出身《しゅっしん》の作家《さっか》。71年間《ねんかん》の作家活動《さっかかつどう》のほか、宇宙船《うちゅうせん》と打《う》ち上《あ》げシステムの開発《かいはつ》に携《たずさ》わるなど、SF《エスエフ》作家《さっか》にとどまらず科学技術者《かがくぎじゅつしゃ》としても功績《こうせき》を残《のこ》した。

世《よ》の中《なか》のことをもっと知《し》りたいぞ！
よりよい未来《みらい》をつくるのは、キミ達《たち》の想像力《そうぞうりょく》だ！

こうなったら最終手段《さいしゅうしゅだん》ニャ…
いったい…何《なに》をするつもりですの…？
FILE. 6
正義《せいぎ》の科学者《かがくしゃ》
逃《に》げるが勝《か》ちニャ～!!
えっ!?
おい！待《ま》て!!
これが最終手段《さいしゅうしゅだん》だなんて！
そんな…〝賢者《けんじゃ》の石《いし》〟はどうなる…!?
結局《けっきょく》、母《はは》を…助《たす》けられないというのか…!?

私《わたし》がしてきたことは…
ここで絶望《ぜつぼう》に襲《おそ》われてどうするんですの!?
!!
あなたにはまだできることがありますでしょ!!
そうかっ!!
会《あ》いにいかなくてはっ!
兄《にい》さん…!!
ダッ
御堂君《みどうくん》、私達《わたくしたち》も…
ああ!
……
……

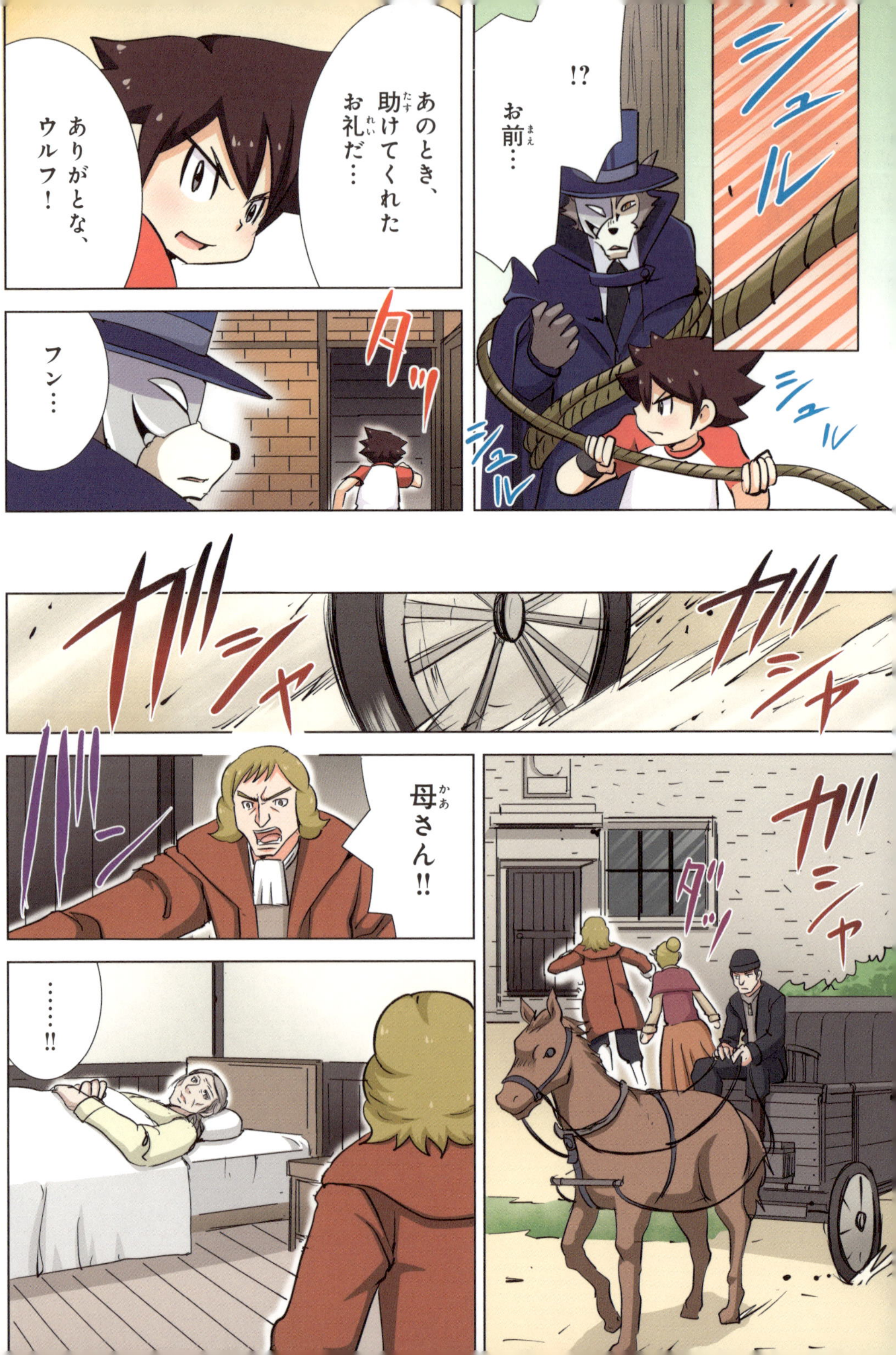
シュル
!?
お前《まえ》…
シュル
シュル
あのとき、助《たす》けてくれたお礼《れい》だ…
ありがとな、ウルフ！
タッ
フン…
ガシャ
ガシャ
ガシャ
ダッ
バン
母《かあ》さん!!
……!!

アイザック…
あなたなの…？
か…
遅《おそ》くなってごめんよ…

アイザック…ずっとあなたを待《ま》っていたのよ…
ボ…ボクは…
ずっと…
回《まわ》り道《みち》をしてきたみたいだ…
でも、ずっと…母《かあ》さんを救《すく》うために〝賢者《けんじゃ》の石《いし》〟をつくろうとしてたんだ…
ほんとうにごめん…
いいのよ、アイザック…
あなたはあなたの…
信《しん》じる道《みち》を進《すす》んでいけばいい…
でもね…
えっ!?

私《わたし》は…不老不死《ふろうふし》なんて決《けっ》して望《のぞ》んではいないわ…
愛《あい》する子《こ》ども達《たち》に見守《みまも》られながら天国《てんごく》へ旅立《たびだ》てること…
これに勝《まさ》る幸《しあわ》せなんてありはしない…
いま私《わたし》は…世界一《せかいいち》…
幸《しあわ》せな…

か…
お母《かあ》さん…
母《かあ》さ———ん!!
うわあああ!!

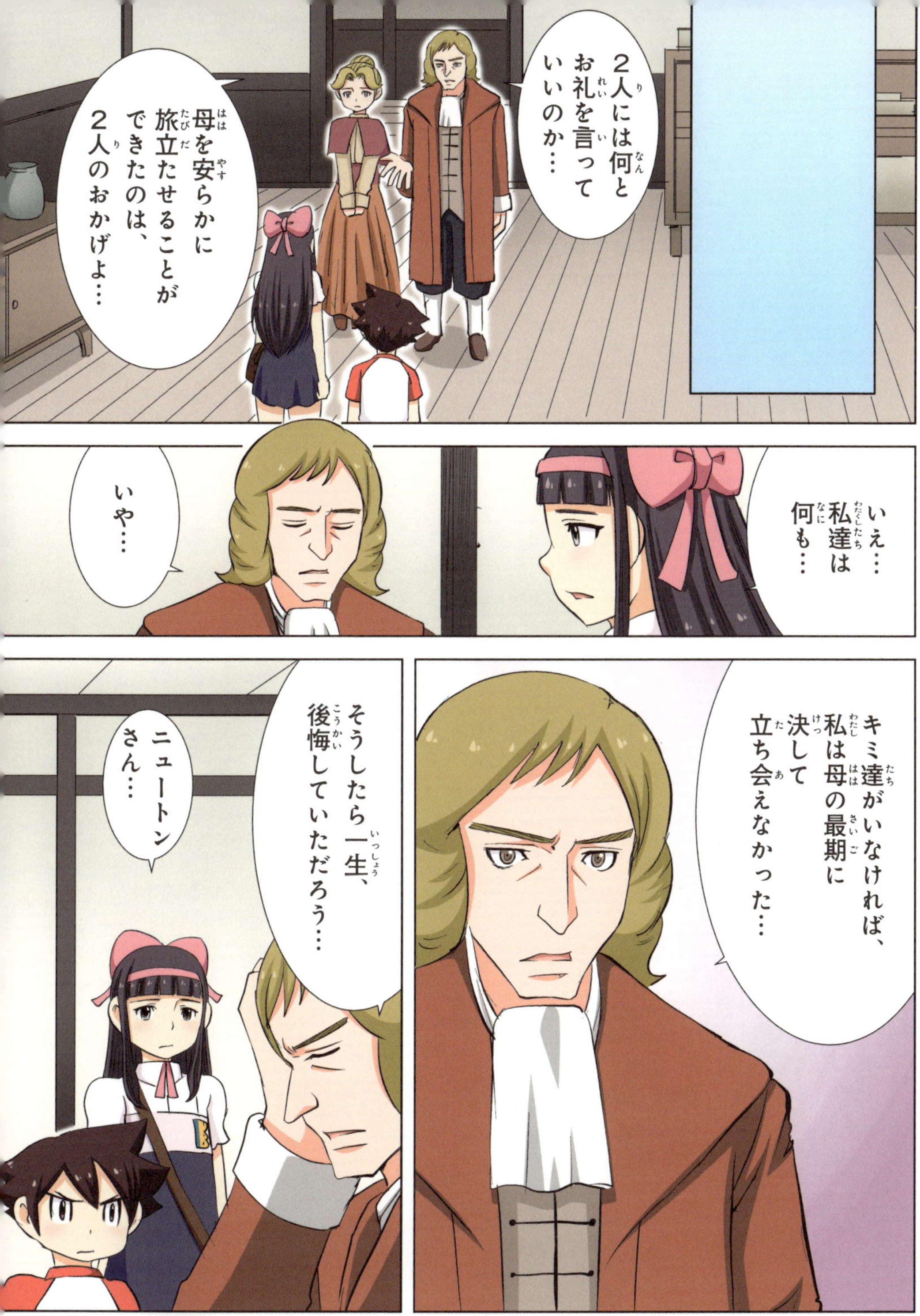
2人《り》には何《なん》と
お礼《れい》を言《い》って
いいのか…
母《はは》を安《やす》らかに
旅立《たびだ》たせることが
できたのは、
2人《り》のおかげよ…
いえ…
私達《わたくしたち》は
何《なに》も…
いや…
キミ達《たち》がいなければ、
私《わたし》は母《はは》の最期《さいご》に
決《けっ》して
立《た》ち会《あ》えなかった…
そうしたら一生《いっしょう》、
後悔《こうかい》していただろう…
ニュートン
さん…

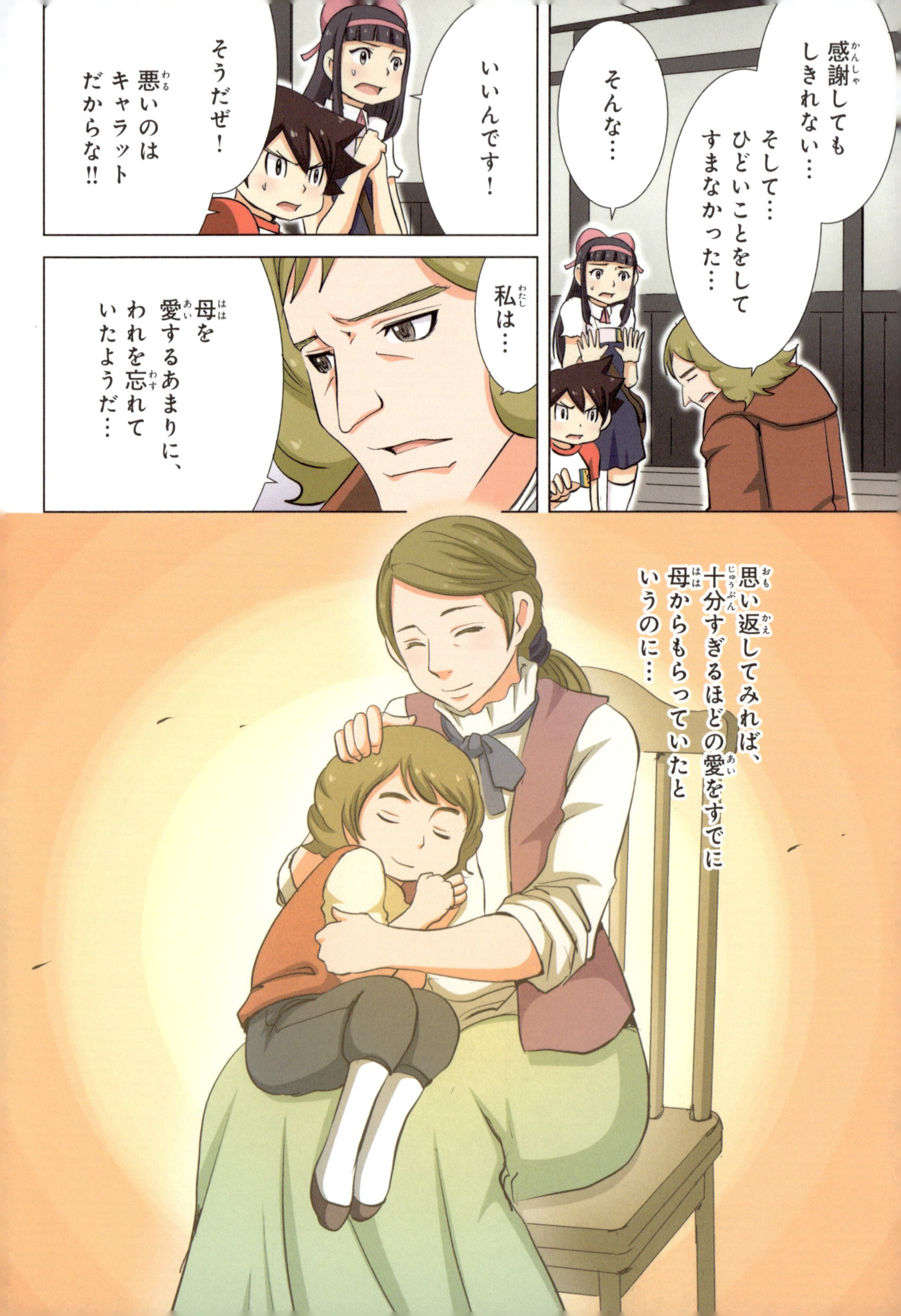

感謝《かんしゃ》してもしきれない…
そして…ひどいことをしてすまなかった…
そんな…
いいんです！
そうだぜ！悪《わる》いのはキャラットだからな!!
私《わたし》は…
母《はは》を愛《あい》するあまりに、われを忘《わす》れていたようだ…
思《おも》い返《かえ》してみれば、十分《じゅうぶん》すぎるほどの愛《あい》をすでに母《はは》からもらっていたというのに…

私《わたし》が言《い》うのもおかしいが…人《ひと》の欲《よく》とはおそろしいものだ…
私《わたし》は、ほんとうにおろかだったよ…
それじゃあ…錬金術《れんきんじゅつ》はもうやめるよね!?
いや…続《つづ》けるつもりだ…
兄《にい》さん!?
心配《しんぱい》するな、ハナ…
もう、自分《じぶん》を見失《みうしな》うようなことはしないさ…
……
……
いずれ、錬金術《れんきんじゅつ》が人《ひと》びとの役《やく》に立《た》つかもしれない…

その可能性《かのうせい》をもう少《すこ》し探《さぐ》ってみたいんだ…
きっと、いまのニュートンさんならだいじょうぶですわ！
〝正義《せいぎ》の科学者《かがくしゃ》〟になってくれよな！
華帆君《かほくん》…
航君《わたるくん》…
ほんとうにありがとう…

よかったですわ…ニュートンさんがパラケルススさんと同《おな》じ過《あやま》ちをくり返《かえ》さなくて…
そうだな！
あっ!!
華帆《かほ》！スマタンを貸《か》してくれ!!
え？
どうしたんですの？
ひらめいたんだよ、謎《なぞ》の答《こた》えが!!
〝正義《せいぎ》の科学者《かがくしゃ》〟…パラケルススさんやニュートンさんの共通点《きょうつうてん》は何《なん》だと思《おも》う？
錬金術《れんきんじゅつ》で過《あやま》ちを犯《おか》したこと…ですか？
そう！

それに長《なが》い歴史《れきし》で見《み》れば…もっとたくさんの人《ひと》が失敗《しっぱい》をしてきたと思《おも》うんだ…
だからきっと…
トトト
〝歴史《れきし》はくり返《かえ》す〟…
これが答《こた》えだと思《おも》うんだ！
歴史《れきし》は
くり返《かえ》
トッ

たしかに、そうですわね！きっとだいじょうぶです!!
頼《たの》む、頼《たの》む――!!
おお!!
やりましたわ!!
よっしゃあ〜〜〜!!
航《わたる》さん、華帆《かほ》さん、ありがとう!! X《エックス》の挑戦状《ちょうせんじょう》をクリアできたよ！
まあ、オレ達《たち》も失敗《しっぱい》をくり返《かえ》して成長《せいちょう》してるからな！
今回《こんかい》なんて、外国《がいこく》の本《ほん》を読《よ》めるようになったし…
ああ…それは…

きっと…X《エックス》のしわざだと思《おも》う…
本来《ほんらい》、ニュートンさんやパラケルススさんの本《ほん》は専門家《せんもんか》でも読《よ》むのが難《むずか》しいはずだから…
え———!!
そんなことだと思《おも》いましたわ…
なんだよ~…オレ達《たち》の実力《じつりょく》で読《よ》めたわけじゃなかったのかよ…
でも、そんなことをしてまでX《エックス》はいったい…
オレ達《たち》にとって、助《たす》けにはなったけど、ジャマにはならなかったもんな…
そうなんだ…まだはっきり分《わ》からないけどX《エックス》の目的《もくてき》は…
!!
パァァァ

こ、これは…
アアア
タイムドリフト!!
ザザッ
よぉ…
!!
ウルフ!!

今回《こんかい》は助《たす》けられちまったな…礼《れい》を言《い》うぜ！
〝オレ達《たち》〟からの謎《なぞ》もぶじに解《と》いたようだしな…
お礼《れい》なんていいよ…そもそもお前《まえ》が先《さき》に助《たす》けてくれたんだし…
アァア
…お待《ま》ちください！〝オレ達《たち》〟って…あなた、X《エックス》の仲間《なかま》でしたの!?
フッ…
……
いっちまったようだな…

ザアッ
X《エックス》の謎《なぞ》を…
解《と》き明《あ》かせば…
真実《しんじつ》が…きっと分《わ》かるはずだぜ…

……
ウルフがX《エックス》の仲間《なかま》…？キャラットの仲間《なかま》なんじゃ…
いったいどういうこと？
何《なん》かケンカでもしたんじゃねェか？
ケンカ…ですか？
キャラットがウルフに言《い》ってただろ、〝おやつ取《と》られる〟とか何《なん》とか…
おやつ…？そんなこと言《い》ってたっけ…？
コナン君《くん》は覚《おぼ》えていますか？
〝操《あやつ》られる〟、キャラットはそう言《い》っていた…

■時間冒険《タイムドリフト》はいよいよクライマックスへ！　コナン達《たち》は、真実《しんじつ》にたどり着《つ》くことができるのか!?

名探偵コナン歴史まんが

世界史探偵コナン・シーズン2

5［知と歴史］ 正義と欲望の科学者《マジシャン》

2024年10月21日　初版第1刷発行

発行人　野村敦司
発行所　株式会社　小学館
〒101-8001
東京都千代田区一ツ橋2-3-1
電話　編集　03(3230)5632
　　　販売　03(5281)3555

印刷所　TOPPAN株式会社
製本所　牧製本印刷株式会社

©青山剛昌・小学館 2024 Printed in Japan
ISBN978-4-09-296728-1 Shogakukan.Inc

造本には十分注意しておりますが、印刷、製本など製造上の不備がございましたら「制作局コールセンター」(フリーダイヤル0120-336-340)にご連絡ください。(電話受付は、土・日・祝休日を除く9:30～17:30)
本書の無断での複写(コピー)、上演、放送等の二次利用、翻案等は、著作権法上の例外を除き禁じられています。
本書の電子データ化などの無断複製は著作権法上の例外を除き禁じられています。代行業者等の第三者による本書の電子的複製も認められておりません。

◇原作／青山剛昌
◇シリーズ構成／田端広英
　カラビナ
◇まんが／金井正幸　海童博行
◇カバーイラスト／太田勝　海童博行
◇イラスト／九里もなか　加藤貴夫
◇脚本／能塚裕喜　増田友梨(カラビナ)
◇記事構成／田端広英
　増田友梨　鷲尾達哉(カラビナ)
◇ブックデザイン／竹歳明弘(Studio Beat)
◇カラーリングディレクター／
　二野戸聡　蒔田典尚　木村慎司
　(株式会社トッパングラフィックコミュニケーションズ)
◇校閲／目原小百合
◇編集協力／増田友梨　鷲尾達哉　和西智哉
　(カラビナ)

◇制作／浦城朋子
◇資材／斉藤陽子
◇宣伝／内山雄太
◇販売／藤河秀雄
◇編集／藤田健彦

[参考文献]

『アイザック・ニュートン　1』(リチャード・サミュエル・ウェストフォール著、田中一郎、大谷隆昶訳、平凡社)、『ニュートンの海ー万物の真理を求めて』(ジェイムズ・グリック著、大貫昌子訳、NHK出版)、『パラケルススの世界　新版』(種村季弘著、青土社)、『魔術師列伝ー魔術師G.デッラ・ポルタから錬金術師ニュートンまで』(澤井繁男著、平凡社)、『知の再発見双書72　錬金術ーおおいなる神秘』(アンドレーア・アロマティコ著、種村季弘監、後藤淳一訳、創元社)、『創元世界史ライブラリー　錬金術の歴史ー秘めたるわざの思想と図像』(池上英洋著、創元社)『錬金術師ニュートンーヤヌス的天才の肖像』(B・J・T・ドッブズ著、大谷隆昶訳、みすず書房)、『SUPERサイエンス　ニセ科学の栄光と挫折』(齋藤勝裕著、C＆R研究所)、『岩波新書88　ニュートン』(島尾永康著、岩波書店)、『100分de名著ブックス　相対性理論 アインシュタイン　時間は、絶対ではない』(佐藤勝彦著、NHK出版)、『アーサー王伝説 7つの絵物語』(ロザリンド・カーヴェン著、山本史郎訳、原書房)、『コーンウォール・妖精とアーサー王伝説の国』(井村君江著、東京書籍)、『ヴィジュアル版 テーマとキャラクターで見る世界の神話』(テリー・アン・ホワイト著、大間知知子訳、原書房)、『ビジュアルで身につく「大人の教養」はじめての世界神話』(蔵持不三也監、世界文化社)、『シリーズ言葉と社会I 星占いの文化交流史』(矢野道雄著、勁草書房)、『おみくじの歴史 神仏のお告げはなぜ詩歌なのか』(平野多恵著、吉川弘文館)、『ものと人間の文化史 70 さいころ』(増川宏一著、法政大学出版局)、『わかってきた 星座神話の起源—エジプト・ナイルの星座』(近藤二郎著、誠文堂新光社)、『神話・文学・アフリカ世界』(ウォレ・ショインカ著、松田忠徳訳、彩流社)、『世界無形文化遺産事典—2021年版—』(古田陽久著、シンクタンクせとうち総合研究機構)、『見世物研究』(朝倉無聲著、思文閣出版)、『新潮選書 手妻のはなし—失われた日本の奇術』(藤山新太郎著、新潮社)、『トリックスター列伝—近代マジック小史』(松田道弘著、東京堂出版)、『新潮選書 人間にとって科学とは何か』(村上陽一郎著、新潮社)、『科学の誕生[上] 古代オリエント』(アンドレ・ピショ著、山本啓二訳、せりか書房)、『イタリア・ルネサンスにおける 市民生活と科学・魔術』(E.ガレン著、清水純一、斎藤泰弘訳、岩波書店)、『刀水歴史書87 魔女と魔女狩り』(W.ベーリンガー著、長谷川直子訳、刀水書房)、『平凡社ライブラリー912 魔法 その歴史と正体』(カート・セリグマン著、平田寛、澤井繁男訳、平凡社)、『魔術の人類史』(スーザン・グリーンウッド著、田内志文訳、東洋書林)、『SF大クロニクル』(ガイ・ヘイリー編集、北島明弘日本語版監、平林祥、ホジソンますみ、山北めぐみ、エリントン理子、堂田和美訳、KADOKAWA/角川マガジンズ)、日本医事新報社 https://www.jmedj.co.jp、新宮市 https://www.city.shingu.lg.jp、Hugkum(小学館)https://hugkum.sho.jp/397755、日本経済新聞 https://www.nikkei.com、製薬協 https://www.jpma.or.jp、首相官邸 https://www.kantei.go.jp、BBC NEWS https://www.bbc.com、文化遺産オンライン tps://bunka.nii.ac.jp、日経サイエンス https://www.nikkei-science.com、La Maison de la Magie https://www.maisondelamagie.fr、ユネスコ無形文化遺産 https://ich.unesco.org、The Asahi Shinbun GLOBAL https://globe.asahi.com、Patterns - Cell Press https://www.cell.com、ダ・ヴィンチ web https://ddnavi.com

※このまんがは、史実を下敷きに脚色して構成しています。